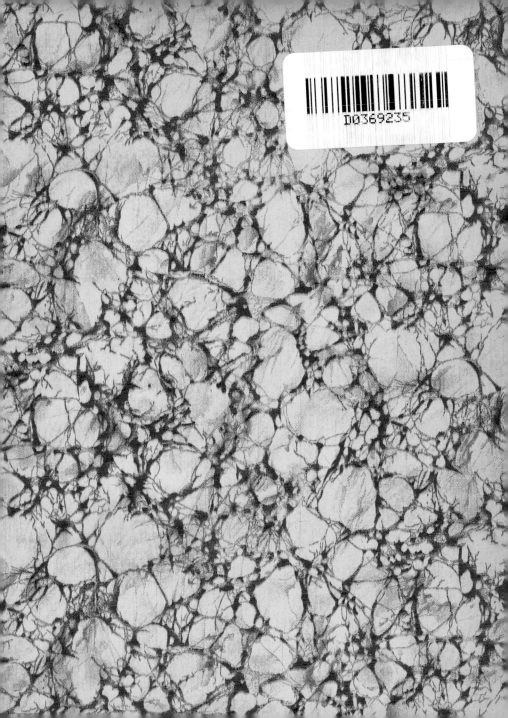

VERLAINE

DU MÊME AUTEUR

L'Orient dans la littérature française au XVIIe et au XVIIIe siècle (*Hachette, 1906*).

Les descriptions de Fromentin, avec le texte critique d'une rédaction inédite du début de " L'Année dans le Sahel " (*Champion, 1910*).

Le roman réaliste sous le Second Empire (*Hachette, 1913*).

Stendhal (*Société française d'imprimerie et de librairie, aujourd'hui Boivin, 1914*).

Fromentin, essai de bibliographie critique (*Champion, 1914*).

Jules Lemaitre, à Alger (*Champion, 1919*).

Stendhal, Del romanticismo nelle arti reconstitué et annoté (*Champion, 1922*).

Le naturalisme français (1870-1895) (*A. Colin, 1923*).

Le Second Empire dans l'Histoire de la littérature française illustrée de J. BÉDIER et P. HAZARD (*Larousse, 1924*).

Stendhal, Racine et Shakespeare, nouvelle édition avec introduction et notes, deux vol. (*Champion, pour paraître prochainement*).

EN PRÉPARATION :

La poésie parnassienne : tome I, *Les origines ;* tome II, *Le Parnasse*.

BIBLIOTHÈQUE DE LA REVUE DES COURS ET CONFÉRENCES

PIERRE MARTINO

Professeur à la Faculté des Lettres d'Alger

VERLAINE

PARIS
ANCIENNE LIBRAIRIE FURNE
BOIVIN & Cie, ÉDITEURS
3 ET 5, RUE PALATINE (VIe)

1924

AVANT-PROPOS

Voici bientôt trente ans que Verlaine est mort, et l'on commence à le lire comme un classique, par curiosité historique plutôt que par une préférence très décidée ou pour suivre la mode. On peut donc tenter d'écrire sur lui une œuvre qui soit autre chose qu'un recueil de détails biographiques et d'anecdotes, ou bien une apologie inspirée par des amitiés ou des passions de cénacle, ou bien encore l'aveu, non déguisé, qu'on lui préfère des poètes d'une autre tendance ; — on peut essayer de faire un travail d'histoire littéraire. Toute l'époque symboliste, d'ailleurs, depuis quelques années, entre dans l'histoire ; on le voit bien à la multiplication récente des documents, des études de toute sorte qu'elle suscite, et qui, seuls, bientôt, la feront vraiment connaître, quand auront disparu tous les lecteurs enthousiastes qui eurent vingt ans vers 1890.

Verlaine, lui, est en train de devenir *universitaire* : il figure dans les anthologies scolaires, on a donné de quelques-unes de ses œuvres des éditions critiques, on le prend comme matière d'enseignement public, on lui fait

place dans des thèses de Sorbonne, on lui demande des
sujets de dissertation française pour le baccalauréat... !
C'est un grand signe des temps qui s'ouvrent pour sa
gloire. Il aura bientôt dans tous les « manuels » sa page
ou son chapitre, équitable, et cette auréole de respec-
tueuse admiration qui vient si naturellement éclairer la
figure des écrivains bien décidément enfoncés dans le
passé.

On ne se fait pas trop illusion, néanmoins, sur les possibilités permises à cette étude. Les documents ne manquent point sur Verlaine ; et il est probable que l'on
sait, dès à présent, à son propos, tout l'essentiel de ce qui
satisfait, à l'ordinaire, la curiosité des historiens. Mais
s'il est loin de nous, il n'est pas assez loin encore pour
qu'on puisse grandement aider à le comprendre, —
comme on fait pour des poètes plus anciens, — en redes-
sinant, grâce à de laborieuses recherches, l'idéal sentimental et intellectuel des temps où il écrivit, en expli-
quant les circonstances qui déterminèrent ses principales
œuvres, en alignant ses sources... Ce sont là des moyens,
quelquefois bien inefficaces, par lesquels on essaie de
lutter contre le temps, contre l'oubli, contre l'impossibilité de ranimer les vrais sentiments et les motifs d'action
des hommes d'autrefois. Nous ne pouvons pas encore
nous contenter de *comprendre* Verlaine et de l'*expliquer* ;
il est trop moderne, malgré tout ; il faut *sentir* avec lui, —
ainsi que lui, si possible.

Un livre, comme celui-ci, ne peut prétendre qu'à être un guide, un guide selon la formule moderne, informé et discret. Il signalera les points de vue qui paraissent les meilleurs pour bien envisager l'œuvre de Verlaine, les routes d'accès les plus commodes pour l'atteindre, les renseignements historiques et statistiques essentiels ; mais une fois que le lecteur sera amené tout à fait en face de l'œuvre du poète, le guide se fermera de lui-même entre ses mains ; les guides n'apprennent point à goûter un paysage. La poésie de Verlaine est suggestion plutôt que pensée, rêve plutôt qu'image ; une grande partie de sa richesse est comme dormante dans la sensibilité des lecteurs, présents et futurs ; à eux de retrouver, par vive intuition ou par un effort de bonne volonté, tout ou partie de cette richesse ensevelie.

VERLAINE

CHAPITRE PREMIER

LA TRADITION POÉTIQUE AU XIXᵉ SIÈCLE ET L'HEURE DE VERLAINE

> La musique, type éternel où
> tendent tous les arts.
>
> WALTER PATER.

Notre génération semble hésiter aujourd'hui, non pas dans son goût pour Verlaine, — ce goût diminue évidemment ; il reste toutefois assez fort, et il atteint un public plus étendu, — mais sur la place qu'il est bon de lui donner dans l'histoire de la poésie au XIXᵉ siècle. Quelques-uns de ses fidèles, qui préfèrent aux au tres recueils les *Poèmes saturniens* et les *Fêtes galantes*, voient en lui un vrai et pur parnassien. D'autres s'attachent surtout aux *Romances sans paroles*, à *Sagesse* et aux recueils qui ont suivi ; ils ne le comprennent bien que comme un maître immédiat du symbolisme, comme le premier et le plus clair des poètes symbolistes. D'autres critiques, d'autres lecteurs se refusent à ces classements, qui ne sont point en réalité tout à fait artificiels, et que les écrivains eux-mêmes acceptèrent en leur temps ; ils retirent Verlaine hors de la lignée issue des grands romantiques ; ce serait comme un météore tombé dans une atmosphère où rien ne le faisait prévoir ; et si on veut lui trouver une famille intellectuelle, c'est jusqu'à Villon qu'il faudrait remonter, par delà presque toute notre tradition littéraire. Pareillement, on dispute sur son influence et sur les limites de cette influence ; on tend, en général, à la juger moins grande qu'on ne l'avait crue d'abord ; on n'admire plus tout, comme au lendemain de sa mort, dans son œuvre et dans sa vie ; sa figure s'estompe peu à peu dans l'ombre que projettent les images chaque jour grandissantes, de Mallarmé et de Rimbaud.

Au fond, ces malentendus, ces contradictions ne sont, comme beaucoup de petites querelles littéraires, que des disputes sur des mots peu définis et sur des théories mal formulées. L'idée qu'on se fait de notre tradition poétique au XIXᵉ siècle n'est pas très exacte en général ; elle voit surtout des heurts, des oppositions, qui sont mal fondées sur les faits et sur les dates ; elle masque la continuité réelle de cette tradition. Une description plus simple et plus vraie de ce qu'a été la ligne du mouvement poétique au XIXᵉ siècle mettra Verlaine à sa vraie place dans ce mouvement. Il est venu à son heure ; il a eu son heure ; et son heure est passée. C'est, en tout cas, la meilleure façon d'ouvrir une étude sur lui ; seule, une vue historique des faits permet, je crois, de bien voir, sans parti pris de doctrine et sans cet entêtement que donne la poussée obscure des préférences intimes, la vraie originalité et la vraie influence de Verlaine.

I. — *Le Romantisme et l'Art pour l'art.*

On dresse communément le symbolisme contre le Parnasse, le Parnasse contre le Romantisme. C'est là un mauvais point de vue, car ces trois grandes tendances auxquelles se sont rattachés tous ceux des poètes du XIXᵉ siècle que l'on continue à lire aujourd'hui, ne s'opposent réellement que sur des questions de détail, quelquefois par de simples procédés techniques. Mais elles sont, au fond, une même tradition vivante, qui s'est faite, de génération en génération, plus riche et plus complexe. Verlaine imita et aima Victor Hugo, Leconte de Lisle, Baudelaire ; jusqu'au bout, et alors qu'il était le plus engagé en des coquetteries avec les cénacles symbolistes, il se fit un devoir d'écrire son affection pour « les chers, les bons, les braves Parnassiens », il eut plaisir à évoquer

le souvenir des « passages Choiseul aux odeurs de jadis » ; et, de
fait, ses vers nous le montrent successivement romantique, baudelairien, parnassien ; quelquefois, il est tout cela dans le même
temps, dans les différentes pièces d'un même recueil. Ce sont les
mauvaises définitions que les contemporains, et surtout les manuels, ont données du romantisme et du Parnasse, qui nous font
trouver surprenant ce mélange.

Tous les travaux d'histoire littéraire, même les plus complets et
les mieux informés, créent en nous une illusion sur ce que le romantisme a été, sur son importance réelle dans l'ensemble des cou-
rants intellectuels du XIXᵉ siècle ; et cela parce qu'ils l'isolent.
Dans tous on voit le romantisme, plus ou moins bien préparé,
plus ou moins expliqué, surgir brusquement entre 1815 et 1830 ; il
triomphe, sans beaucoup d'efforts ; de successifs chapitres disent
ses triomphes dans le roman, au théâtre, dans la poésie lyrique. On
ne le voit point finir. Il fait figure d'un mouvement puissant, qui
a emporté tout le XIXᵉ siècle, et qui continue, aujourd'hui encore,
à peine endigué. Pour peu que l'on glisse vers la philosophie de la
littérature, il devient une forme éternelle de l'esprit, une anti-
nomie du classicisme.

Or, le romantisme, tel qu'il apparaît dans les faits, n'a été qu'une
doctrine littéraire, comme dix autres, et dont le succès, vigoureusement disputé, se limite à une vingtaine d'années. Pendant ce
peu de temps, il essaya de se définir en bien des formules, qui, naturellement, sont contradictoires. La vraie figure de ce qu'il a été
est cachée par de successives images, qui correspondirent à des
préoccupations temporaires et brèves. En réalité, les poètes nouveaux eurent, à partir de 1825, un idéal et une doctrine d'art
assez fermes ; mais, influencés obscurément par les divers mouvements de la pensée contemporaine, ils se proposèrent des buts
différents ; ils renouvelèrent leurs thèmes, changèrent leurs
croyances philosophiques et politiques, tâtèrent sans cesse les
dispositions d'une opinion publique qui se modifiait beaucoup et
vite. Tout cela, qui est secondaire, est ce qu'on voit d'abord : et
cela crée illusion. Pourquoi le romantisme fut-il d'abord nettement catholique et royaliste, et puis bientôt républicain, socialiste,

anticlérical ? Pourquoi, vers 1820, le poète voulut-il coopérer à la restauration monarchique de la France ; pourquoi, un peu avant 1830, voulut-il s'isoler dans sa tour d'ivoire ; pourquoi, après la révolution de Juillet, ne put-il se tenir de prendre part à la vie politique ; pourquoi tint-il à entrer au collège des prêtres qui allaient conduire l'humanité nouvelle ? Pourquoi les écrivains furent-ils si volontiers pessimistes et désabusés, au temps de la grande influence de Byron, et, trente ans plus tard, des optimistes, des visionnaires, splendidement utopiques ? Comment purent-ils être des évocateurs du moyen âge, des amants des ruines, et, en même temps, les chantres des sentiments les plus modernes ?... On pourrait allonger la liste de ces contradictions.

Pendant longtemps, le romantisme chercha à se définir lui-même. Serait-il un cénacle politico-littéraire ? un « genre », toléré à côté des grands « genres », avec ses sujets à lui et ses libertés acceptées ? Une teinte générale qui pouvait s'étendre sur toutes les œuvres ? Un style nouveau ? Ou bien un esprit de régénération totale ? Il se crut tout cela, successivement ou à la fois, de 1815 à 1825, jusqu'au jour où il s'aperçut qu'il était, avant tout, l'esprit de « liberté dans l'art », et qu'il permettait aussi bien l'expression d'émotions vives et neuves que l'effort des poètes pour faire rivaliser le vers avec la peinture et avec la musique.

La vraie doctrine des romantiques, — les contemporains le virent mieux que nous, — c'est la révolte contre les « règles », contre une tradition intellectuelle vieille de deux siècles et que la critique idéologique, sous prétexte de l'expliquer et de la justifier, venait de rendre plus étroite qu'elle ne l'avait jamais été. Dans le premier quart du siècle s'étaient mutlipliés les traités de poésie et les recueils d'essais critiques, qui tous enseignaient les « règles » : règles pour définir les sujets permis et les genres convenables, règles pour régenter le vocabulaire, le style, la langue ! Et si l'on s'inclinait généralement devant la tradition, le goût, les règles, c'est qu'on estimait que toutes ces limites données à l'esprit étaient fondées en raison. Le *Beau idéal* était un Beau démontrable. « Toute beauté poétique, écrivait Thiessé en 1822, qui ne peut survivre à un froid examen, n'est qu'apparente et factice ».

Au surplus, on entendait bien que le poète fût, avant tout, une manière de philosophe. En écrivant une tragédie ou des stances, on n'était pas surtout un artiste, mais bien un penseur. Aussi Voltaire était-il, plus que Racine ou que Molière, le maître parfait. « Presque tous ses ouvrages, disait, en 1820, un de ses admirateurs, tendent à l'instruction des hommes. » — Les « anciens poètes, insistait un critique de 1822, n'étaient point de frivoles *amuseurs* ; c'étaient des maîtres de morale et les instructeurs du genre humain ».

Vérité, utilité, raison, tels sont les mots qui reviennent le plus souvent, comme arguments massifs, sous la plume des critiques classiques. A ces affirmations s'opposèrent des négations : pas de sujets obligatoires, pas de genres étanches, pas de langue conventionnelle, pas de vers rigide. Le poète peut ne pas se borner à exprimer des idées abstraites en des formes solennelles ; il peut faire voir les spectacles qui lui plaisent, faire entendre les harmonies qui le ravissent, faire ressentir les sentiments plus ou moins confus qui l'agitent. Le romantisme, c'est avant tout l'émancipation de l'artiste, la doctrine de l'art pour l'art.

Cette doctrine fut formulée avec précision au début même de la querelle romantique. Cousin l'établit, en Sorbonne, dès 1815, sur des arguments philosophiques. Il détacha « la forme du beau » de la « forme du bien » ; « l'art, disait-il, n'est pas un instrument, il est sa propre fin à lui-même... Je refuse aux beaux-arts tout but d'utilité ; ... l'art ne doit servir qu'à lui-même, c'est-à-dire à l'expression du beau ». En 1822, Stendhal félicitait ce jeune philosophe d'avoir osé dire à ses élèves : « Livrez-vous bonnement et simplement aux impressions de votre cœur ; osez être vous-mêmes et ne songez point aux règles. Elles ne sont pas faites pour votre âge heureux ; vos cœurs sont remplis de passions brûlantes et généreuses. » Cette doctrine de libération, qui affleure de partout dans les nombreux manifestes romantiques de l'époque, et pour laquelle *Le Globe* surtout combattit, s'affirma d'une façon très nette dans l'année qui vit paraître *Les Orientales*. Elle s'appela alors « la liberté dans l'art ». Elle permettait, avec le développement des moyens d'expression rythmique, les

thèmes exotiques, les images colorées, la langue somptueuse,
comme celle des *Orientales*, — une poésie toute « matérialiste »
gémit-on alors, — mais aussi la « poésie intime », familière,
comme celle de Joseph Delorme, dont Verlaine fera si grand cas.
Elle n'interdisait aucun sujet ; elle n'enseignait que le culte de la
rime riche, que le prestige d'une forme plastique et harmonieuse.
    La révolution de 1830 comprima brusquement cette tendance,
qui venait, au grand émoi de la critique classique, de se manifester
en pleine lumière. Une tentation s'offrait aux intellectuels. C'était
chose finie que l'effort de la royauté revenue pour restaurer
l'ancien régime en France ; finies aussi les contraintes qui pe-
saient sur la pensée, les journaux, l'Université. Il fallait maintenant élever sur de nouvelles fondations l'État et la société modernes. Les milieux intellectuels, les poètes comme les artistes, se
passionnèrent pour cette tâche. Il ne fut plus question, à nouveau,
et pendant quelques années, que de l'*art utile*. L'école saint-
simonienne se révéla alors comme le plus puissant adversaire de
l'école romantique, et elle réussit en partie à la dériver. La séduc-
tion qu'elle exerça dans les cénacles d'écrivains, au lendemain de
1830 et dans les années qui suivirent, fut une force considérable,
que jusqu'ici l'on n'a pas assez mise en lumière. Sainte-Beuve,
rallié pour un temps, rédige en novembre 1830 la profession de
foi du *Globe* régénéré : « la mission, dit-il, l'œuvre de l'art aujour-
d'hui..., c'est de réfléchir et de rayonner sans cesse en mille couleurs le sentiment de l'humanité progressive ». Un enseignement
spécial de la religion saint-simonienne est donné rue Taitbout aux
artistes ; on leur dit que « leur place est au Forum », qu'ils ont
« une tribune », qu'ils sont « les précepteurs de l'humanité ».
Honte aux effusions sentimentales, à l'art désintéressé, à la poésie
de luxe, aux vers « bien ciselés », aux strophes « bien panachées » !
Le Beau n'est autre chose que le Vrai et le Bien ; « les beaux-arts
sont le culte, et l'artiste est le prêtre ».
    Tous les grands poètes romantiques, peu à peu, en des conver-
sions presque pareillement soudaines, abandonnent l'art pour
l'art, et glissent vers l'action publique, du moins vers la poésie
sociale. Les cénacles romantiques sont vite désorganisés. Sainte-

Beuve a bien joliment décrit cet effarement des mois qui suivirent juillet 1830 :

> Voici comment on peut se figurer l'événement, selon moi. Au moment où le navire *Argo* qui portait les poètes, après maint effort, maint combat durant la traversée contre les prames et les pataches classiques qui encombraient les mers et en gardaient le monopole, au moment où ce beau navire fut en vue de terre, l'équipage avait cessé d'être parfaitement d'accord ; l'expédition semblait sur le point de réussir... Le brusque ouragan de juillet bouleversa tout... Quant au navire *Argo*, tout divin qu'il semblait être, il ne tint pas, mais l'équipage fut sauvé... Depuis ce moment, l'expédition collective fut manquée ou accomplie, selon qu'on veut l'entendre, et chaque chef, poussant individuellement de son côté, poursuit à travers le siècle, par des voies plus ou moins larges, sa destinée, ses projets, la conquête de la glorieuse Toison.
>
> (*Mme Desbordes-Valmore, août 1833, Portraits contemporains.*)

V. Hugo ne récrit point *Les Orientales*, et il se persuade plus qu'aucun de ses pairs de la « fonction du poète ». Lamartine veut enseigner le peuple et lui chanter la toute-puissance de l'association familiale. Vigny dit son désir de régénérer la France par l'exercice des vertus stoïciennes. Sainte-Beuve, quelque temps, tient l'emploi d'un vrai prédicateur saint-simonien. Musset croit que les larmes du « poète malade » sont un baume pour l'humanité. Après 1830, le mot romantisme n'a plus guère de sens, si on ne lui ajoute pas l'épithète *social*. George Sand est le type le plus caractéristique de cette nouvelle époque, en attendant que V. Hugo devienne le mage et le prophète des temps nouveaux. La pure doctrine romantique de l'art désintéressé et du culte de la forme est négligée ; l'élan qui poussait la poésie à rivaliser avec la peinture et la musique semble s'arrêter.

II. — *Parnasse et Positivisme.*

En réalité, cet effort continue, mais obscurément d'abord. Ce fut comme s'il y avait eu une génération de poètes sacrifiée. Dans le navire *Argo*, — pour continuer l'image de Sainte-Beuve, — on avait embarqué, un peu avant le naufrage, de très jeunes combattants, Théophile Gautier surtout. A défaut de ses aînés, portés vers d'autres conquêtes, il garde et il défend la tradition du roman-

tisme fantaisiste et pittoresque héritée des *Orientales*. La préface
de *M*ⁱˡᵉ *de Maupin* (mai 1834) est une attaque à toute allure contre
« l'humanitairerie » nouvelle, la doctrine du Vrai et du Bien dans
l'Art. C'est à ce moment-là que se précise définitivement et que
commence à se vulgariser la nouvelle formule : « l'art pour l'art ».
Elle est, d'abord, une formule toute négative : non, l'art n'est pas
pour la morale, pour la société, il est *pour l'art* ; c'est la formule
même qu'avait enseignée Cousin, vingt ans auparavant. Mais
c'est alors seulement, et parce que les « artistes » ont maintenant
des adversaires très puissants, qu'on tire de cette formule ses
vraies conséquences. Théophile Gautier dégage, dans *M*ⁱˡᵉ *de
Maupin*, une nouvelle image du Beau idéal, la figure vraie de la
beauté que se propose de réaliser l'écrivain : un admirable corps
de femme, tel que le montre une belle statue grecque. La beauté
n'est plus un concept abstrait, c'est une vision plastique, une réalisation des sens. Ce symbole nouveau, bien entendu, n'est pas bon
que pour les écrivains ; il vaut pour les peintres, pour les sculp-
teurs. Et, de fait, le cénacle de Th. Gautier se mélange avec les
cénacles de rapins. Son journal, pour commencer, c'est *L'Artiste*,
également ouvert aux poètes et aux peintres. Th. de Banville,
bientôt, fait se dresser, dans ses *Cariatides*, tout un Olympe de
belles formes voluptueuses, nues et divinisées. Beauté, Force,
Amour, Coupe, Sein, Lyre..., ce sont les mots qui servent de
leitmotiv à cette évocation incessamment renouvelée.

Peu à peu, « l'école de l'art » recrute de nouveaux adhérents et
précise ses ambitions. Th. Gautier, un peu plus tard, les définira
dans un *credo* rigoureux, *L'Art* (1857). Tout le mérite de l'artiste
selon lui, une fois que, par la grâce de la nature, ou par l'effort
de sa volonté, il s'est bien pénétré du nouvel idéal de beauté, c'est
de le traduire, de le réaliser par des formes sensibles ; c'est pourquoi il doit chercher à vaincre la difficulté, lutter avec la matière
rebelle, choisir les formes étroites, les stances rares, les rimes très
riches. Tous les sujets sont bons, hors ceux qui sentent le bourgeois, la préoccupation de la morale, le souci de l'existence quoti-
dienne, ou qui donnent de l'émoi aux sentimentalités vulgaires. Il
est sot et banal de faire rêver ; il faut faire voir de beaux corps,

de belles couleurs, et, si l'on tient aux idées, qu'au moins elles
s'enveloppent dans des symboles harmonieux ou pittoresques. Le
livre de vers qui signale le mieux les aspirations des « poètes de
l'art », au milieu du siècle, c'est *Émaux et Camées* (1ʳᵉ éd. 1852).
Avec des sujets volontairement insignifiants et une forme qu'il a
cherché à rendre aussi étroite et difficile que possible, Th. Gautier
y a transposé des images pittoresques, des sensations plastiques,
des harmonies de lignes, des symphonies de couleurs ; ce sont de
perpétuels raffinements sur de menues impressions artistiques, les
émois, très stylisés, d'un amateur, habitué à vivre sa vie parmi de
belles choses et de beaux livres. L'horizon, un peu étroit, mais
charmant, de ce petit recueil, c'est un atelier de peintre collec-
tionneur, ou la bibliothèque d'un lettré jouisseur.

La liberté qu'avaient demandée les romantiques, les Jeunes-
France, voyant leurs aînés la négliger, et croyant qu'on voulait la
leur enlever, l'avaient réclamée avec de grands éclats de voix.
Cette liberté, ils croyaient l'avoir bien à eux, et en jouir sans res-
triction. Mais l'ambiance où ils vivaient la limitait déjà ; eux et
leur public, ils étaient un milieu très fermé, de petits groupes
d'amateurs d'art. De plus, il se trouva, parmi eux, des poètes qui
renoncèrent, plus ou moins consciemment, à cette indépendance
de l'artiste à l'égard de son temps, qui fut, pendant toute la première partie du XIXᵉ siècle, l'aspiration des successives générations poétiques. Quoi qu'aient pu rêver par moments, quelques
écrivains, plus ambitieux que les autres, un Flaubert, par exemple,
l'artiste ne saurait se passer de sujets, et ces sujets, qu'il le veuille
ou non, c'est l'ambiance intellectuelle de son temps qui les lui
impose. On avait assez bien résisté, vers 1830, aux tentatives
du saint-simonisme, qui voulait mettre la main sur l'art ; les
cadets et les imitateurs ne résistèrent pas aux appels impérieux du
positivisme, à la vieille idéologie, renforcée par la science moderne,
et devenue toute-puissante au milieu du siècle. Très vite, l'école
de l'art fut influencée par l'esprit positiviste, sous les diverses
formes qu'il prit alors : recherches critiques, pensées philosophiques, aspirations politiques. C'est ainsi que se créa la mentalité
de la génération des poètes parnassiens. La « forme » très perfec-

tionnée que l'école de l'art avait créée, le Parnasse l'employa au
profit d'un certain nombre de préoccupations et d'idées, qui
étaient celles du temps, et qui ne devaient paraître lourdes et
désuètes qu'après un bon quart de siècle. Vers 1850, tout comme
au lendemain de 1830, les grandes ambitions de l'art pour l'art
furent refrénées ; le poète ne put rester un *formiste*, un amant de
la pure beauté.

La méthode essentielle du positivisme, son arme, fut la recherche historique, — non pas l'élan de l'imagination qui avait
porté les romanciers et les chroniqueurs romantiques vers le passé
de la France, pour y trouver des spectacles nouveaux ou la justi-
fication de passions politiques, non pas le désir de la « résurrection
intégrale du passé », — mais l'application de la méthode critique
à l'histoire, le dessein de soumettre toute notre connaissance du
passé à une scrupuleuse revision. On s'en prit surtout, car cela
intéressait directement, malgré l'apparence, le monde moderne,
aux époques primitives, aux anciennes formes de pensée, et princi-
palement aux formes religieuses de la pensée. Vers le milieu du
siècle, s'épanouit brusquement une curiosité générale pour l'étude
des religions, qui, jusque-là, n'avait guère intéressé que des milieux très fermés d'érudits. On commença par les religions antiques, que l'on interpréta de façon toute nouvelle, sous la direction
des philologues allemands ; puis on passa aux religions orientales ;
enfin l'on osa s'en prendre aux religions modernes, au christianisme surtout. L'*Histoire des origines du christianisme* de Renan,
dont le premier volume parut en 1863, au moment où se formaient
les cénacles proprement parnassiens, et qui fit un bruit énorme,
est le témoignage le plus évident de cette passion du siècle pour
ces études et pour les conclusions actuelles qu'on pouvait en tirer.

De quoi se compose surtout l'œuvre de Leconte de Lisle ? De
poèmes sur le polythéisme grec, sur la religion hindoue, sur
le moyen âge chrétien ; c'est une vraie revue des religions.

La science et l'art, affirmait le poète en 1852, se retournent vers leurs
origines communes... Le génie et la tâche de ce siècle sont de retrouver et de
réunir les titres de famille de l'intelligence humaine... L'art et la science,
longtemps séparés par suite des efforts divergents de l'intelligence, doivent
donc tendre à s'unir étroitement si ce n'est à se confondre. L'un a été la révé-

lation primitive de l'idéal contenu dans la nature extérieure ; l'autre en a été l'étude raisonnée et l'exposition lumineuse. Mais l'art a perdu cette spontanéité intuitive, ou plutôt il l'a épuisée ; c'est à la science de lui rappeler le sens de ses traditions oubliées.

Cette entreprise toute tendue à saisir le passé pouvait paraître désintéressée ; c'était bien ainsi que les savants prétendaient quelquefois la définir. Mais, pour le plus grand nombre des écrivains et des lecteurs, elle n'était rien moins que désintéressée. L'étude critique de l'humanité ancienne et de ses croyances aboutissait à des conclusions utilisables pour les contemporains. La préface des *Poèmes antiques*, où l'on est tenté d'abord de ne chercher que de hautaines déclarations d'indifférence, est toute pénétrée de cette idée que le poète est « l'instituteur du genre humain », ou du moins qu'il doit le redevenir. Leconte de Lisle lui conseille de s'isoler, de « se réfugier dans la vie contemplative et savante », mais il ne voit là qu'une retraite provisoire, « un sanctuaire de repos et de purification ». « Vous rentrerez ainsi, dit-il, loin de vous en écarter, par le fait même de votre isolement, dans la voie intelligente de l'époque. » L'Art n'est pas le serviteur du Bien, si le Bien représente les morales ou les gouvernements de l'heure ; mais si le Bien c'est le pain futur de l'humanité, les principes aujourd'hui « négligés » que fera renaître « l'élaboration des temps nouveaux », alors la poésie est certainement « le verbe inspiré et immédiat de l'âme humaine ». Elle n'est pas une pure jouissance d'art, une simple volupté d'amateur.

Le positivisme espérait que l'étude critique des religions aboutirait à l'affranchissement définitif de l'esprit humain. Après l'âge théologique viendrait l'âge positif, qui permettrait la réalisation de grands espoirs politiques et sociaux. La sociologie, fondée sur la biologie moderne et sur la connaissance du passé, permettrait d'organiser scientifiquement l'humanité et de se passer définitivement de la religion. Les philosophies brouillonnes du saint-simonisme et du fouriérisme avaient dessiné l'image d'un avenir merveilleux, mais elles n'enseignaient point le moyen de le réaliser ; la venue inévitable de l'âge positif rendrait très possible ce rêve paradisiaque. Ces grands espoirs ne se lisent pas que dans les catéchismes positivistes ; ils ont inspiré aussi les poètes. La grande raison de l'admiration pour la Grèce d'un Louis Ménard et d'un Leconte de Lisle n'est pas, à l'origine, une préférence artistique ; ils aiment la mythologie grecque parce que, comprise comme ils la comprennent, elle est un symbole, celui de l'harmonie suprême qui fait sortir l'ordre de la contrariété des forces, qui accommode les concepts d'unité et de multiplicité ; ils aiment l'Hellade des Centaures et la Grèce de Périclès parce qu'elles furent belles, sages, libres, et qu'elles offrent aux modernes l'image de républiques idéales auxquelles l'État, aujourd'hui devrait tâcher de ressembler. Les préfaces de Leconte de Lisle, écrites au lendemain de la réaction qui suivit 1848 et du rétablissement de l'Empire, dissimulent mal ces pensées de révolte et d'espoir ; elles laissent entrevoir l'espérance, qui veille, de la république future.

Et enfin, pour terminer la revue des thèmes que les préoccupations du temps imposèrent aux poètes de l'art et à leurs successeurs, les Parnassiens, il y avait une philosophie accessoire du positivisme, celle à laquelle se ralliaient, au moins dans leurs moments de crise, tous ceux, parmi les positivistes, qui ne parvenaient point à se donner la certitude intellectuelle d'un Littré, ou bien à s'y maintenir. Les rêves théologiques, les chimères métaphysiques, les illusions du sentiment, tout cela était balayé par les nouvelles croyances ; toute joie, toute poésie disparaissait de l'univers trop bien expliqué ; le bonheur ne reviendrait parmi les hommes, désabusés, que plus tard, après l'achèvement de la grande réorganisation, qui pouvait se faire attendre. Encore ce bonheur serait-il tout matériel, une espèce de confort social, qui ne pouvait satisfaire que la foule. Il ne calmerait point l'angoisse métaphysique des grands esprits, leur perpétuelle interrogation sur la destinée de l'homme et sur l'essence de l'univers. A ceux-là, s'ils ne revenaient point à la foi, ou si la contemplation des spectacles de la nature et de l'art ne suffisait pas à les calmer, une doctrine s'offrait, celle du renoncement et de l'illusion, que Schopenhauer était allé demander à l'Inde, et que les travaux des Orientalistes avaient, depuis peu, vulgarisée en France. Par là seulement on pourrait se consoler de « l'horreur d'être homme » ;

on se proposerait comme modèle la vie des Ascètes, une vie aussi semblable que possible à la « divine mort », et grâce à laquelle on pourrait reconquérir « le repos que la vie a troublé ». Si l'on pouvait se persuader que tout n'est qu'illusion, éteindre en soi tout désir, tout sentiment, même celui de sa propre existence, même celui de l'existence du monde extérieur ! Du moins *Bhagavat* et la *Vision de Brama* affirmèrent-ils la beauté de ce rêve,

> L'unique, l'éternelle et sainte Illusion.

Tableaux des religions et des civilisations mortes, haine vigoureuse contre le christianisme, contre les autocraties, espoirs d'une prochaine régénération sociale, foi envers la science, et, par moments, des accès de désespoir et de pessimisme, qui font accepter comme souhaitable la croyance à des doctrines qui nient la réalité même..., ce sont bien là les thèmes favoris des Parnassiens, au temps de leurs premiers enthousiasmes, thèmes obligatoires, sur lesquels s'exercèrent tous les débutants, Sully-Prudhomme comme Dierx, Verlaine, comme Catulle Mendès. On était bien loin, dès lors, de la doctrine absolue de l'art pour l'art, et même de la doctrine, moins exigeante, de la liberté dans l'art. Le choix du Beau idéal n'était plus libre, en vérité, pas plus qu'il ne l'était avant le romantisme ; les convenances, en fait de sujets, étaient autres, mais elles n'étaient pas moins impérieuses qu'au début du siècle. On ne discutait pas non plus le nouveau code de la forme : l'attitude rigide, le prestige sculptural, la beauté stylisée.

> Est-elle en marbre ou non, la Vénus de Milo ?

demandait Verlaine d'une voix qui n'admettait pas la négation.

Peu à peu, en rente ans, la doctrine de l'art pour l'art, qui avait cru jeter bas toutes les règles, s'était laissé alourdir sous le poids de conventions nouvelles. Mais la tendance originaire était trop forte pour qu'elle ne cherchât pas de nouveau à se manifester. On pouvait, pour atteindre cette Beauté, qui était la divinité nouvelle, jeter bas les nouvelles règles et les récentes habitudes. Pourquoi tous ces intermédiaires pour arriver jusqu'à elle ? Pourquoi

cette obligation des symboles antiques ou des visions exotiques ?
Pourquoi cette subordination de l'art à la pensée abstraite, plus
étroite maintenant qu'autrefois ? Pourquoi ces thèmes philosophiques, cette perpétuelle méditation sur la nature de l'homme et
l'essence du monde ? Le poète ne pouvait-il pas se placer en face
du monde réel, c'est-à-dire du monde moderne, en face de lui-
même, sans autre préoccupation que d'être véridique et harmonieux ? Tout ce qu'il voyait, tout ce qu'il sentait, tout ce qu'il
pensait, ne pouvait-il pas le traduire directement, que ce fût
conforme ou non aux canons de beauté anciens ou nouveaux,
que ce fût laid ou beau, suivant ces canons, que ce fût chaste
ou immoral. Il suffisait de se convaincre à nouveau de l'infinie
supériorité du Beau, — du seul vrai Beau, le Beau personnel de
l'artiste, — sur le Bien ou sur le Vrai modernes.

III. — *Inspirations et suggestions baudelairiennes.*

C'est ce que fit Verlaine, c'est ce que Baudelaire avait fait
avant lui, et c'est pourquoi tous deux, Baudelaire surtout, dominent d'une telle hauteur l'histoire de la poésie française au
XIXᵉ siècle. Ils ont été de grands libérateurs ; auprès d'eux,
Théophile Gautier, Théodore de Banville, Leconte de Lisle font
figure de traditionalistes attardés.

Baudelaire est resté peu apprécié, peu connu même, au temps
qu'il vivait. Sa révélation date des environs de 1880, et sa gloire
de l'époque symboliste. Alors seulement on comprit la beauté
complexe et la signification de son œuvre ; on ne se borna plus à
lui demander des secrets de facture. Mieux et plus que Th. Gautier, dont l'art fut plus étroit et la sensibilité plus vite satisfaite, il
représente la tendance de l'art pour l'art, dans ce qu'elle a d'essentiel : le droit de tout dire, de tout traduire, de tout suggérer, pourvu qu'il y ait, au bout de l'effort, éveil d'une sensation de beauté ;
— la beauté, non plus réduite à des évocations abstraites, ou à des
visions colorées, ou à des images stylisées, mais la beauté de tous
les spectacles, même les moins habituels aux poètes et aux artistes,
les plus vrais, les plus crus ; la beauté qui ne se contente pas du

domaine de la peinture et de la sculpture, mais qui se révèle par
la simple musique des mots, par les suggestions sonores, par
l'éveil des harmonies nombreuses, contradictoires et puissantes,
qui peuvent vibrer dans l'âme d'un « jouisseur » moderne.

Verlaine a admirablement défini, dès 1865, le caractère *moderne*
de la poésie de Baudelaire et la richesse de ces nouveaux thèmes
de poésie.

La profonde originalité de Charles Baudelaire, c'est, à mon sens, de représenter puissamment et essentiellement l'homme moderne ; et par ce mot,
l'homme moderne, je ne veux pas, pour une cause qui s'expliquera tout à
l'heure, désigner l'homme moral, politique et social. Je n'entends ici que
l'homme physique moderne, tel que l'ont fait les raffinements d'une civilisation excessive, l'homme moderne, avec ses sens aiguisés et vibrants, son
esprit douloureusement subtil, son cerveau saturé de tabac, son sang brûlé
d'alcool, en un mot, le *bilio-nerveux* par excellence, comme dirait H. Taine.
Cette individualité de sensitive, pour ainsi parler, Charles Baudelaire, je le
répète, la représente à l'état de type, de *héros*, si vous voulez bien. Nulle
part, pas même chez Henri Heine, vous ne la retrouverez si fortement accentuée que dans certains passages des *Fleurs du Mal*. Aussi, selon moi, l'historien futur de notre époque devra, pour ne pas être incomplet, feuilleter
attentivement et religieusement ce livre qui est la quintessence et comme
la concentration extrême de tout un élément de ce siècle. Pour preuve de
ce que j'avance, prenons, en premier lieu, les poèmes amoureux du volume
des *Fleurs du Mal*. Comment l'auteur a-t-il exprimé ce sentiment de l'amour,
le plus magnifique des lieux communs, et qui, comme tel, a passé par toutes
les formes poétiques possibles? En païen comme Gœthe, en chrétien comme
Pétrarque, ou, comme Musset, en enfant ? En rien de tout cela, et c'est son
immense mérite. Traiter des sujets éternels — idées ou sentiments — sans
tomber dans la redite, c'est là peut-être tout l'avenir de la poésie, et c'est en
tout cas bien certainement là ce qui distingue les véritables poètes des rimeurs
subalternes. L'amour, dans les vers de Charles Baudelaire, c'est bien l'amour
d'un Parisien du XIXe siècle, quelque chose de fiévreux et d'analysé à la
fois ; la passion pure s'y mélange de réflexion, et, si les nerfs égarent par
moment l'intellect, en décuplant l'action des sens, le *nescio quid amarum* de
Lucrèce, qui n'est autre que l'incompressible essor de l'âme vers un idéal
toujours reculant, fait entendre sans cesse à l'oreille obsédée son implacable
rappel à l'ordre.

(*L'Art*, 16 novembre 1865 ; *Œuvres posthumes*, t. II, p. 8.)

Le milieu dans lequel Baudelaire vécut, aux meilleures années
de sa production poétique, ne ressemble point, — et cela compte,
— à ceux que créèrent autour d'eux un Victor Hugo et un Leconte
de Lisle. Baudelaire fut riche un court moment ; mais, le plus
souvent, il vécut à court d'argent, presque misérable ; les con-

ditions de son existence et ses amitiés de jeunesse le poussèrent
vers la bohème, la vraie bohème. Des ratés, des excentriques, des
demi-fous, des vagabonds, des filles y coudoyaient d'authentiques
écrivains, des poètes ou des romanciers, pauvres d'argent, mais
amis de l'imprévu, et heureux de heurter autrement que par des
mots écrits les habitudes bourgeoises. L'amour était une des
grandes préoccupations de la bohème ; mais c'était un amour
difficile à styliser ; son expression sincère ne pouvait se plier
aux élégances conventionnelles, aux embellissements dont
Lamartine avait paré Elvire, et Victor Hugo l'inspiratrice de la
Tristesse d'Olympio. Les héroïnes d'amour d'un Champfleury et
d'un Baudelaire, — et l'on n'assemble leurs noms que pour un
moment, parce qu'ils furent amis et vécurent de la même vie, —
c'était d'assez vulgaires prostituées, une « Mariette », une Jeanne
Duval. Le cadre était médiocre, et bien médiocres aussi les occa-
sions d'exalter le sentiment. Mais s'il s'agissait de jouir, de jouir
profondément, âcrement, c'était une autre affaire : la bohème et
ses inspiratrices savaient quelquefois aimer mieux et autrement
qu'on ne le faisait dans les boudoirs romantiques ; on y connaissait
les passions raffinées, les appétits rares, les sentiments étranges,
capables de satisfaire des sensualités compliquées et exigeantes.
Ces amours trouvaient souvent dans le cadre même de leur
misère des excitants nouveaux ; « le débauché pauvre » a d'autres
sensations que le dandy. L'ivresse, toutes les ivresses, celle du
cabaret, celle du « vin des chiffonniers », celle de l'opium, celle de
tous les paradis artificiels jouaient aussi leur rôle ; et l'on ne songeait point à s'en cacher ; elles paraissaient de bonnes consola-
trices, des donneuses de rêves et de sensations, des inspiratrices.

C'est cette vie toute moderne, la vie d'un petit groupe de gens
de lettres parisiens, vers le milieu du siècle, qui a inspiré une partie
de l'œuvre de Baudelaire. Plus de code de beauté parnassienne,
plus de règle de morale, même esthétique, plus de visions obligatoires de nymphes ou d'assemblées de dieux olympiens ; on
prend le frisson d'art là où réellement on reçoit des frissons de vie ;
liberté absolue dans le choix du sujet et dans la forme ; les seules

limites, ce sont celles que constituent l'expérience personnelle du poète, son éducation artistique, son pouvoir de sentir et ses possibilités d'expression.

La pièce initiale des *Fleurs du Mal* indique les principaux thèmes baudelairiens.

> C'est le Diable qui tient les fils qui nous remuent !
> Aux objets répugnants nous trouvons des appas ;
> Chaque jour vers l'enfer nous descendons d'un pas,
> Sans horreur, à travers des ténèbres qui puent.
>
> Ainsi qu'un débauché pauvre qui baise et mange
> Le sein martyrisé d'une antique catin,
> Nous volons au passage un plaisir clandestin,
> Que nous pressons bien fort comme une vieille orange.
>
> Dans nos cerveaux malsains, comme un million d'helminthes,
> Grouille, chante et ripaille un peuple de Démons,
> Et quand nous respirons, la Mort dans nos poumons
> S'engouffre, comme un fleuve avec de sourdes plaintes.
>
> Si le viol, le poison, le poignard, l'incendie,
> N'ont pas encore brodé de leurs plaisants dessins
> Le canevas banal de nos piteux destins,
> C'est que notre âme, hélas ! n'est pas assez hardie.

Le pire de tous ces « vices », aimés pour la richesse des sensations qu'ils donnent, c'est « l'Ennui », le Spleen, état d'âme compliqué, forme nouvelle du mal du siècle, qui unit la lassitude de vivre, la hantise de la mort, le goût de la révolte qui calme les exaspérations, le goût de la débauche, qui fait oublier, et celui du mal dont on aime à humer, par moments, le parfum très fort. *Spleen et Idéal, Fleurs du Mal, Révolte, le Vin, la Mort...* ce sont les principales étapes des *Fleurs du Mal*. Le poète y dit ses sensations quotidiennes ; il s'enferme dans l'horizon de Paris ; et il ne voit dans ces successives images de la ville, telle qu'il la connaît, et de la vie, telle qu'il la vit, aux différentes heures du jour, que celles qui s'accommodent avec les goûts de son esprit et les préférences de sa sensualité. Le *Crépuscule du matin* et le *Crépuscule du soir* sont deux tableaux symboliques de cette vie parisienne : une ville où l'on ne voit que prostituées et voleurs, « catins et escrocs leurs complices », malades agonisant dans les hôpitaux, pauvresses mourant de faim, débauchés dormant d'un sommeil stupide. Les autres formes de la vie, le travail joyeux, le bonheur tranquille, la vertu satisfaite d'elle-même, Baudelaire les ignore ; il ne veut dire que ce qu'il voit, le plaisir et la souffrance, la luxure et la misère, et le singulier attrait qu'offre l'étroite union de ces thèmes que d'ordinaire la littérature dissociait comme de véritables contraires.

Son *Beau*, dès lors, c'est, — il l'a fort bien défini lui-même, — quelque chose qui est tout à l'opposé du Beau intellectuel, du Beau sentimental, du Beau *naturel* dont se satisfaisait la littérature de son temps.

J'ai trouvé la définition du Beau, de mon Beau. C'est quelque chose d'ardent et de triste... Des besoins spirituels, des ambitions ténébreusement refoulées, l'idée d'une puissance grondante et sans emploi..., quelquefois aussi — et c'est un des caractères de beauté les plus intéressants — le mystère, et enfin (pour que j'aie le courage d'avouer jusqu'à quel point je me sens moderne en esthétique) *le malheur*. Je ne prétends pas que la Joie ne puisse pas s'associer avec la Beauté, mais je dis que la Joie est un des ornements les plus vulgaires, tandis que la Mélancolie en est pour ainsi dire l'illustre compagne, à ce point que je ne conçois guère (mon cerveau serait-il un miroir ensorcelé ?) un type de Beauté où il n'y ait du *Malheur*... Il me serait difficile de ne pas conclure que le plus parfait type de Beauté virile est Satan.

Attrait du malheur et du mal qui ne peut s'en séparer, goût de la souffrance qu'on donne et qu'on reçoit, plaisir de mêler la jouissance amoureuse avec la vision physique de la mort, de « la charogne », appétit du plaisir et satiété de ce plaisir, reniements brutaux et inquiets, qui n'ont rien du tranquille athéisme byronien, recherche d'émois religieux fort éloignés de la religiosité et de l'imagerie de première communion des romantiques..., voilà quelques-unes des inspirations préférées de Baudelaire ; toutes, elles sont modernes, personnelles, intimes, directes.

Directes ? Pas tout à fait, et l'on pouvait imaginer une traduction plus immédiate de ces états de sensibilité moderne. La stylisation de la forme est grande encore chez Baudelaire ; il use de procédés qui sont tout romantiques. Sa peinture du malheur et du vice est un peu apprêtée ; il y a quelquefois de l'enflure dans son style. Pourquoi un poète, de goûts pareils à ceux de Baude-

laire, ne se montrerait-il pas plus simplement sensuel, plus naïvement pécheur, moins amoureux des grandes antithèses et des
tableaux composés ? Il suffirait qu'il eût l'âme moins troublée,
et qu'il se sentît las des procédés d'un art devenu trop sûr de
ses effets.

Verlaine sera ce poète. « L'art, mes enfants, finira-t-il par
affirmer, c'est d'être absolument soi-même. » Cette formule
signale le triomphe absolu de l'esprit de liberté et du goût de
modernité auxquels ni le romantisme, ni l'école de l'art, ni le
Parnasse, ni Baudelaire lui-même n'avaient tout à fait obéi. La
règle de Verlaine sera de ne point avoir de règles. Ou plutôt il le
croira, et on le croira quelque temps autour de lui. Mais les poètes
de la génération qui le suivra, s'apercevront de son illogisme ; ils
dénonceront chez lui un goût qu'ils jugeront inexplicable pour la
clarté de l'expression, pour la rigueur de la phrase, et surtout
un respect étrange pour la rime et la mesure ancienne des vers. Les
symbolistes, eux, très logiquement, aimeront le vers libre ; ils
donneront au vers la pleine liberté, la liberté des mesures rythmiques, le droit de ne pas rimer. Le vers se dissociera de plus en
plus, jusqu'à devenir chez quelques poètes tout modernes un « je
ne sais quoi qui n'a plus de nom dans aucune langue » ; il se
dissociera si bien que beaucoup, après l'enthousiasme des premières années du symbolisme, préféreront revenir aux rythmes
et aux servitudes classiques.

A l'époque du symbolisme, Verlaine, qui semblait avoir dépassé
Baudelaire dans l'œuvre de libération poétique, fut vite renié,
comme un novateur insuffisant. Certes il avait détruit les derniers
préjugés sur les matières possibles de la poésie. Mais avait-il augmenté, autant que Baudelaire, le pouvoir d'expression de la
phrase poétique française ? En suivant les théories chères à l'auteur des *Fleurs du Mal*, on devait arriver à s'affranchir tout à
fait des entraves de la versification. L'unité rythmique, à l'entendre, ce n'était plus le vers, avec ses coupes et sa rime, c'était le
mot, c'était telle ou telle syllabe du mot plus harmonieuse que le
reste du mot ; le mot cessait d'être avant tout image ou idée ; il
redevenait *son* ; il avait un pouvoir d'évocation musicale au

moins égal à son pouvoir d'évocation intellectuelle ou d'évocation plastique.

La poésie touche à la musique par une prosodie dont les racines plongent plus avant dans l'âme humaine que ne l'indique aucune théorie classique... La poésie française possède une prosodie mystérieuse et méconnue, comme les langues latine et anglaise ;... la phrase poétique peut imiter (et par là elle touche à l'art musical et à la science mathématique) la ligne horizontale, la ligne droite ascendante, la ligne droite descendante... La poésie se rattache aux arts de la peinture, de la cuisine et du cosmétique par la possibilité d'exprimer toute sensation de suavité ou d'amertume, de béatitude ou d'horreur, par l'accouplement de tel substantif avec tel adjectif analogue ou contraire.

Après les idées, après les images, après les sensations, la poésie allait recevoir le moyen de traduire les « correspondances ».

La Nature est un temple où de vivants piliers
Laissent parfois sortir de confuses paroles ;
L'homme y passe à travers des forêts de symboles
Qui l'observent avec des regards familiers. .

Comme de longs échos qui de loin se confondent,
Dans une ténébreuse et profonde unité,
Vaste comme la nuit et comme la clarté,
Les parfums, les couleurs et les sons se répondent.

Cette « forêt de symboles », devinée et vue de loin par Baudelaire, Mallarmé y est entré ; elle a fait peur à Verlaine, dont l'imagination était plus pauvre et l'ambition moins grande. Beaucoup, parmi les poètes et parmi les lecteurs, se sont arrêtés, effrayés aussi, devant cette forêt obscure. Mais il semble bien que c'est là que devait aboutir, — autant que la logique est valable en de pareilles matières, — tout l'effort de la doctrine de l'art pour l'art depuis le début du siècle. Dans ce grand effort collectif, continu, malgré l'apparence des retours et des hésitations, Verlaine a joué son rôle. Respectueux d'abord des formes qui plaisaient à ses aînés, il a été pris pendant quelques années d'une vraie fureur de révolté ; et il a écrit un *Art poétique*, qui semblait annoncer les temps nouveaux. Une étude sur sa vie et sur son œuvre doit montrer comment il en vint à écrire cet art poétique, et dans quelle mesure il l'a suivi lui-même. On peut, je crois, le voir et le dire assez exactement.

CHAPITRE II

LES ANNÉES DE JEUNESSE (1844-1866)

I. — *La légende de Verlaine.*

On est très disposé à croire, quand on aborde l'étude d'un écrivain contemporain ou tout récent, que l'enquête biographique
va donner des résultats merveilleux ; les documents sont là, à
portée de main, abondants, contrôlables ; on va atteindre le
tréfonds de sa sensibilité, saisir, dès l'enfance, les chaînes de
sensations, d'impressions, d'influences, d'événements dont s'est
fait son génie, et ne les plus lâcher. C'est une illusion. Si, pour les
écrivains du passé, ces reconstitutions psychologiques, si ten-
tantes, sont rendues bien difficiles par la rareté des documents,
ici, c'est leur surabondance et leur mauvaise qualité qui gênent.
Les petites revues et les grands journaux ont pris l'habitude de
lâcher sur les écrivains d'aujourd'hui tout un flot d'interviews
et d'anecdotes : la plupart ne sont que de piètres commérages,
qui d'ailleurs se démentent les uns les autres. Les plus authentiques de ces renseignements, je veux dire les propos de l'écrivain
sur sa vie et ses œuvres, dans les cas où il paraît qu'ils sont exactement rapportés, ne sont pas beaucoup plus sûrs. Il y a bien
des années en effet que les hommes de lettres ont pris l'habitude
de vivre sur les tréteaux, devant le grand public, parmi tout
un bruit de réclame et de parade. Chacun se compose une attitude,
des attitudes, pour cette sorte de reportages, devenus une nécessité de la profession. Ce n'est pas toujours sa vraie figure qu'on
montre, mais l'image de l'homme que l'on veut que les contemporains de la semaine voient en vous. Bien souvent, l'auteur,

par oubli, ou pour d'autres raisons, n'est pas plus exact que les journalistes qui se sont informés sur lui hâtivement et au hasard de la rencontre d'ennemis ou d'amis. Une fois qu'on a achevé le tri de ces documents nombreux et éparpillés, il ne reste plus grand'chose au creux de la main : un pauvre résidu de légende.

Verlaine, plus qu'aucun autre écrivain moderne, a eu sa légende et elle dure. Elle fut très solidement constituée au temps même qu'il vivait. Vers 1890, on ne le voyait que comme un bon poète truand, un Villon moderne, abandonné à l'ivrognerie et aux grands vices, un vrai faune, pieux à ses heures, mais naïvement et profondément immoral, ami de toutes les révoltes, mauvais fils, déplorable mari, père douteux, communard par surcroît... Ses demeures ? la prison, l'hôpital, les galetas, les brasseries. On pouvait l'opposer, ainsi représenté, au poète selon l'idéal parnassien, au chaste et divin porte-lyre, insoucieux de l'existence réelle, tout vidé de ses passions, et absorbé dans la contemplation de sa pensée, soit sereine ou bien désespérée. Beaucoup de « jeunes » aimèrent alors Verlaine parce qu'il était, jusque dans sa manière de s'habiller et d'aimer, tout différent d'un Banville et d'un Leconte de Lisle.

Lui-même, par ses propos et par ses écrits, il avait contribué beaucoup à créer cette légende, où, comme dans toutes les légendes, la recherche historique découvre, à la fin, des faits réels, mais irrémédiablement déformés par les exagérations, les commentaires et les cancans. Il aimait, dans ses dernières années, à se raconter aux jeunes amis que sa gloire attirait vers lui, au café ; il soignait ses histoires ; il stylisait son attitude. Et puis, il n'oubliait pas sa « conversion » et sa foi récentes, qui lui avaient enseigné le mérite de la confession et de la pénitence. Sans cesse il battait sa coulpe en public : c'était faire acte d'humilité. Il n'était pas fâché, alors, de se voir et de se dire plus grand pécheur qu'il n'avait été : les jeunes gens admirent les forfanteries de vice. Pour que sa confession fût plus édifiante, Verlaine n'omettait aucun péché ; il allait dénicher, dans les recoins de sa mémoire, les plus véniels pour leur faire un sort ; volontiers il en ajoutait. Il écrivait des vers, — c'est lui qui le dit, —« pour être calomnié ».

Edmond Lepelletier, qui le connut intimement dès sa jeunesse, nous avertit très expressément qu'il ne faut pas toujours croire le poète sur parole.

Ses conversations, au cours des déambulations, arrosées aux caboulots du Quartier Latin, scandées du heurt inégal de sa canne sur les trottoirs sonores, ses aveux devant des soucoupes empilées, dans le voisinage des manuscrits épars et froissés sur les marbres poisseux des estaminets, ses récits aux greffiers indifférents de l'interview, ses vidages de conscience en présence de thuriféraires pâmés, son épandage à la Jean-Jacques de péchés et de vilenies, à travers les pages précieuses d'intéressantes et factices auto-biographies, ne doivent être acceptées que sous réserve, et avec un fort rabais sur le total. La confession est souvent objective et la faute imaginaire. La rêverie a tenu une grande place dans ces propos de table, d'alcôve et de librairie... Une légende s'en est suivie. D'autant plus vivace et durable que Verlaine en fut en grande partie l'auteur, héautontimorouménos de sa réputation. Ses disciples ont colporté l'évangile dépravé qu'il s'amusait à prêcher. Quelques-uns ont transformé en réalités ses paraboles littéraires. Le public a trop pris à la lettre le texte du Maître, paraphrasé par des apôtres fantaisistes, dénoncé par d'empressés et hypocrites pharisiens. Il convient de le reviser, et surtout d'en contrôler les commentaires. La signature de Verlaine au bas de ces multiples confessions imprimées ne prouve pas l'exactitude des faits. L'aveu n'est pas toujours une preuve. Verlaine avant tout était poète : donc il exagérait, il amplifiait, il grossissait... Il battait la caisse autour des prétendues débauches qu'il se reprochait publiquement, tout en regrettant en secret de ne les avoir point connues. Il se glorifiait d'impuretés qu'il ne commettait qu'en imagination. Il y a surtout de l'emphase dans son auto-gnosie. Il fut, pour ses penchants, pour ses voluptés, pour ses prétendues infamies, un grand illusionniste (*Paul Verlaine*, 1907, p. 16).

Si l'on veut s'informer exactement, il faut en effet lire avec assez de scepticisme les *Confessions* du poète : un récit inachevé de sa vie, qui va de la naissance jusqu'à l'année 1871. Elles ont été écrites tard ; c'est un de ses tout derniers livres, paru en 1895, moins d'un an avant sa mort. Verlaine n'entreprit point, à cinquante ans, d'écrire ce petit volume par goût et sponta-nément. On lui avait demandé des « notes sur sa vie », où il fixerait et compléterait par de nouveaux détails ces confessions qu'il aimait depuis longtemps à faire à tout venant, et qui étaient célèbres. Malgré son désir évident de grande sincérité, il y a du flou et des inexactitudes dans ce récit. Toutes les autobiographies en sont là ; comment pourrait-on être toujours exact, lorsqu'on se raconte soi-même, après bien des années écoulées depuis les évé-nements qu'on cherche à faire revivre ? Mais surtout Verlaine transpose sans cesse les événements de son enfance et de sa jeunesse à travers un état d'esprit tout récent. Il était parvenu, passé la quarantaine, après bien des traverses, à une gloire trouble et singulière, qui lui créait des obligations. Aussi les *Confessions* doivent-elles être complétées et contrôlées. Un des meilleurs documents, pour cette besogne, c'est la *Correspondance* du poète, dont on a publié le premier volume en 1922 ; ces lettres, assez nombreuses, étaient jusqu'ici éparpillées dans quantité de recueils. Elles sont évidemment d'intérêt inégal, mais quelques-unes, adressées à des intimes, à Edmond Lepelletier surtout, sont riches de renseignements pour la connaissance de l'homme et de l'œuvre ; on y lit de façon transparente, bien mieux que dans aucun récit, les entraînements et les erreurs de la jeunesse de Verlaine, la misère de ses dernières années.

Trois biographies du poète nous informent assez abondamment sur lui. D'abord et surtout le *Paul Verlaine* d'Edmond Lepelletier (1907) ; ce livre est le témoignage d'un contemporain, d'un ami qui a connu Verlaine dès le lycée, et qui n'a cessé jusqu'au bout de mêler sa destinée à celle du vieux compagnon. Ce petit volume, fait avec de nombreuses lettres, avec des souvenirs personnels, directs, est complet et sincère ; les recherches récentes qu'on a faites sur quelques points de la vie de Verlaine n'y ont que bien peu ajouté ; et ses inexactitudes ne sont pas plus fréquentes que celles que renferment les meilleurs ouvrages de cette sorte.

Le seul défaut de l'ouvrage, c'est que, pour combattre la légende de Verlaine, il devient trop souvent et trop évidemment une apologie ; certains chapitres sont de vrais plaidoyers d'avocat, bien oiseux ; mais les pièces du dossier sont là, rassemblées par le biographe, et présentées en parfaite honnêteté ; il est aisé de négliger le plaidoyer.

Les *Documents relatifs à Verlaine* (1919) et le *Verlaine* (1919) de M. Ernest Delahaye sont également bien utiles ; l'auteur fut, lui aussi, un ami de Verlaine, mais il le connut plus tard ; s'il est sobre de détails sur la première partie de la vie du poète, il est riche en renseignements sur l'histoire de ses dernières années. Le *Verlaine intime* de Donos (1898) a été écrit avec des docu-

ments que possédait l'éditeur ordinaire de Verlaine, Léon Vanier ;
ces documents sont nombreux, authentiques, amusants, quelquefois très inattendus ; ils illustrent de façon bien pittoresque la vie de bohème de Verlaine. Mais ce petit livre, malgré son
apparence benoîte, a été évidemment écrit sans sympathie
pour le poète. Il s'agissait surtout, pour l'auteur, de défendre
Léon Vanier, à qui l'on reprochait, dans les cercles littéraires de
Paris, de n'avoir pas toujours eu à l'égard de Verlaine les procédés et les égards convenables à un éditeur lettré. M. Donos
souligne avec intention les sautes d'humeur du poète, son caractère fantasque, les conditions pénibles de sa vie, l'atmosphère
sans élégance où il vivait ; cela tourne à la caricature. Mais, là
aussi, l'esprit du livre importe peu ; les documents sont bons, et
l'on ne peut se dispenser de les connaître.

On usera discrètement d'ailleurs de ces biographies, car on ne
se propose pas de donner ici une histoire anecdotique de Verlaine.
Dans de telles histoires, il s'agit surtout d'amuser, et l'exactitude
y est une qualité secondaire. On ne fera même pas au récit des
événements de la vie du poète une place très considérable ; on
ne retiendra que les faits ou les circonstances qui font connaître
l'homme, et dans les cas seulement où le caractère et la vie de
l'homme aident à comprendre l'œuvre.

II. — L'enfant.

> Mon enfance, elle fut joyeuse :
> Or, je naquis choyé, béni...
>   (T. II, p. 252) (1).

Paul Verlaine est né le 30 mars 1844. Peut-être conviendrait-
il, pour complaire à quelques-unes de ses pensées, de commencer par établir ici son horoscope.

(1) Toutes les références, pour les citations de Verlaine, renvoient à l'édition des *Œuvres complètes* du poète actuellement en vente chez l'éditeur
A. Messein.

Mais j'ai ratiociné
Tant que je finis par croire
A de l'art conjuratoire
Et que je suis *destiné*.

                    (*Épigrammes*, t. III, p. 233.)

J'ai perdu ma vie et je sais bien
Que tout blâme sur moi s'en va fondre.
A cela je ne puis que répondre
Que je suis vraiment né Saturnien.

          Bruxelles, prison des Petits-Carmes.
                         Juillet 1873.
                (*Parallèlement*, t. II, p. 147.)

La pièce liminaire des *Poèmes saturniens*, qui sert comme de portail à toute l'œuvre imprimée de Verlaine, dit d'ailleurs « l'influence maligne » dont « la logique » dessine « ligne à ligne » le plan de vie de « ceux-là qui sont nés sous le signe Saturne ». Cette sorte de considérations n'est pas habituelle aux historiens de la littérature ; on a pourtant décrit récemment « le ciel de nativité » de Baudelaire, et on y a trouvé, comme de juste, une explication très satisfaisante de sa destinée poétique et de son caractère. Mais M. Raynaud, qui a ainsi, le premier, je crois, ouvert dans un volume d'histoire littéraire le chapitre des influences occultes, ne semble pas prendre lui-même son initiative très au sérieux : l'horoscope ne révèle jamais que ce qu'on veut lui faire dire. Et en tout cas, il sera temps de chercher ce qu'il y avait de *saturnien* en Verlaine, au sens propre du mot, quand, bientôt, nous en serons venus à ce premier livre de poésies, qu'il jugea bon d'appeler *Poèmes saturniens*.

Le poète est né à Metz, et il a plusieurs fois parlé de sa ville natale, en vers ou en prose. Ce lieu de sa naissance n'importe pas beaucoup à la compréhension de son œuvre. Il était fils d'officier, et c'est le hasard des changements de garnison qui le fit naître à Metz plutôt qu'ailleurs. La vraie ville de son enfance et de sa jeunesse, celle de toute sa vie, hormis quelques années d'errances et d'exil, c'est Paris. Toutefois ce hasard d'une destinée militaire l'avait fait lorrain ; et en 1872 il dut opter afin de conserver la nationalité française. Metz, qui a longtemps ignoré Verlaine, s'est empressée, dès qu'elle est redevenue française, de lui rendre les hommages municipaux, qui sont de rigueur pour les écrivains consacrés par le temps ; le poète a maintenant sa rue dans sa ville natale ; son portrait par Aman-Jean a été reçu cérémonieusement, il y a peu, et installé au musée de la ville. Ce n'est qu'un commencement sans doute ; Verlaine y aura bientôt sa statue ; le voilà en passe de devenir une gloire locale ! Il en eût été probablement fort satisfait, car il gardait une certaine tendresse de cœur pour Metz. Mais il ne faudrait point exagérer la force de ce souvenir, ni surtout expliquer par lui quelques-uns des sentiments qu'il a exprimés le long de ses œuvres. On se heurte quelquefois dans ses vers, surtout dans ceux de la dernière période, et de façon bien inattendue, à des tirades patriotiques, à des apostrophes tout à fait chauvines. Ce n'est point parce qu'il était messin ou, plus simplement, lorrain qu'il les a écrites ; et il ne se découvrit vraiment « patriote » que sur le tard ; il alla alors jusqu'au boulangisme. C'était surtout par réaction contre les outrances de la génération venue après 1870, qui, par haine de la guerre, par rancœur du désastre, se disait et se croyait antimilitariste. Combien de faiseurs de vers qui n'étaient point lorrains, à commencer par Déroulède, ont chanté la revanche, et avec plus de foi, plus de constance que Verlaine !

Le père et la mère du poète nous sont bien connus par ses *Confessions* et par les souvenirs d'Edmond Lepelletier. De bons parents, qui n'eurent pas grande influence sur leur fils. Ils alternèrent, au cours de son enfance, et suivant la règle habituelle, les faiblesses et les sévérités, de manière à annuler l'effet des unes comme des autres. L'enfant, qui était facile, ne reçut point dans le milieu familial une empreinte qu'il soit possible d'apercevoir. Au plus tôt on s'en remit, pour le diriger, à la tradition, représentée par le prêtre, et à la société figurée par le lycée ; puis on lui chercha un emploi de petit fonctionnaire ; puis on le maria... Dès ses années d'enfant, le poète avait été accoutumé à l'idée qu'il prendrait sa place, bien sagement, et sans bruit, dans les cadres sociaux ; il se laissa faire, car d'abord il y trouva du confort. Le père était un officier du génie, sorti du rang ; un vrai « papa-gâteau »,

dit Edmond Lepelletier ; il mourut en 1865, quand le grand fils
avait vingt ans. La mère était une bonne personne, insignifiante
et douce, « pieuse, économe, très respectable sous tous les rapports...
On lui trouvait l'air très *comme il faut* dans le quartier des
Batignolles... Elle n'entendait rien à la littérature, et elle admira
toujours les œuvres de son fils sans les comprendre... Elle adorait
son Paul, le gâtait et lui pardonnait tout » (E. Lepelletier).
Verlaine ne la perdit qu'en 1886 ; c'est grâce à elle qu'il y
eut longtemps de l'aisance, et parfois un peu d'ordre dans la vie
du poète, de bonne heure désemparée. Aux moments douloureux,
elle était là pour le soigner, pour le réconforter ; elle finit par vivre
avec lui, bien que cette vie commune fût pénible ; et elle lui
fut longtemps une protection relative contre les entraînements
de la bohème et de l'alcool. Après la mort de sa mère, la misère
se fit plus noire, et la vie décidément très laide pour ce grand
enfant, qui avait besoin d'être accompagné, plaint et protégé.

Son père était originaire des Ardennes belges, et sa mère du
Pas-de-Calais, où, selon l'ancienne tradition des familles bourgeoises, elle possédait quelque bien en terres. Grâce à ces attaches
rustiques, le ménage d'officier, quoique errant, ne se déracina pas
tout à fait. On revenait souvent, à l'époque des vacances, « à
la campagne », où l'on avait laissé toute « la famille ». Ainsi, le
poète, devenu vite un pur Parisien, ne perdit pas tout contact
avec la vie provinciale, la bonne terre de France. Plus tard, au
cours de ses nombreux avatars, il tâchera, par deux fois, de se
régénérer en redevenant, comme ses ancêtres, et dans leur pays,
un paysan. Mais il est bien rare qu'on puisse refaire l'étape à
rebours, revenir de la ville aux champs. Verlaine ne le put pas.
Du moins dut-il à ses souvenirs de vacances enfantines le goût
des horizons rustiques et le désir de les peindre. Après ses
grands malheurs, il rêvait, pour sa vie, le cadre d'un paysage
qui lui rappelât tout ce joyeux passé.

> Au pays de mon père on voit des bois sans nombre.
> Là des loups font parfois luire leurs yeux dans l'ombre,
> Et le myrtil est noir au pied du chêne vert.
> Noire de profondeur, sur l'étang découvert

Sous la bise soufflant balsamiquement dure,
L'eau saute à petits flots, minéralement pure.
Les villages de pierre ardoisière aux toits bleus
Ont leur pacage et leur labourage autour d'eux.
Du bétail non pareil s'y fait des chairs friandes
Sauvagement un peu parmi les hautes viandes.
Et l'habitant, grâce à la Foi sauve, est heureux.

Au pays de ma mère est un sol plantureux,
Où l'homme, doux et fort, vit prince de la plaine,
De patients travaux pour quelles moissons pleine,
Avec, rares, des bouquets d'arbres et de l'eau.
L'industrie a sali par places ce tableau
De paix patriarcale et de campagne dense
Et compromis jusqu'à des points cette abondance,
Mais l'ensemble est resté, somme toute, très bien.
Le peuple est froid et chaud, non sans un fond chrétien.
Belle, très au-dessus de toute la contrée,
Se dresse éperdument la tour démesurée
D'un gothique beffroi sur le ciel balancé,
Attestant les devoirs et les droits du passé,
Et tout en haut de lui le grand lion de Flandre
Hurle en cris d'or dans l'air moderne : « Osez les prendre ! »

Le pays de mon rêve est un site charmant
Qui tient des deux aspects décrits précédemment.

(Paysages (Amour), t. II, p. 70.)

La famille de Verlaine n'était point pauvre, ni même de petite
aisance, comme on serait tenté de le croire en songeant à la vie
pénible du poète. Le père et la mère étaient de bons bourgeois,
selon les goûts du temps. Le père, voyant que sa carrière militaire ne lui donnait pas l'avancement qu'il jugeait convenable,
n'eut point d'embarras à démissionner et à venir s'installer à
Paris. Edmond Lepelletier, qui connut intimement les Verlaine,
évalue leur avoir à quatre cent mille francs ; on était riche, avec
cela, vers 1850, quand on était économe, rassis de goûts, et point
chargé de famille. Cette fortune se défit peu à peu. Ce furent
d'abord, pour la diminuer, de fâcheuses spéculations du père,
puis la vie insouciante et les gaspillages du fils ; enfin ses tentatives ruineuses de retour à la campagne. Mais il y fallut des
années ; et, pendant longtemps, Verlaine, même après la mort
de son père, n'eut point vraiment à se soucier d'avoir un vrai
métier, un gagne-pain. La misère ne l'atteignit que très tard, une

fois que, peu après la mort de sa mère, le patrimoine familial se trouva entièrement dissipé.

Il serait sans grand intérêt de reproduire ici les anecdotes des premières pages des *Confessions*, les souvenirs que Verlaine gardait de sa petite enfance, vécue dans les successives garnisons de son père, à Montpellier, à Nîmes, puis de nouveau à Metz ; ces anecdotes sont frêles et mièvres ; le récit des *Confessions* les rend gracieuses, mais elles sont vraiment sans signification : l'histoire d'une main trempée imprudemment dans une bouilloire, un flirt de Bibliothèque Rose avec une fillette de son âge, l'éveil d'une sentimentalité timide, vite étouffée par des sensations plus impérieuses ! Toutefois on doit retenir que Verlaine, en contant ces années de sa vie, a insisté avec complaisance sur deux points, qui lui parurent essentiels : deux appels contraires qu'il a entendus dès sa jeunesse, et qui retentiront plus tard, presque aux mêmes heures, dans les œuvres de la seconde partie de sa vie : l'appel de la religion, les premières émotions catholiques ; — l'appel des sens, l'éveil d'une sensualité vite exigeante, et qui sut toujours se faire plus complètement satisfaire que le besoin religieux.

Verlaine a décrit brièvement dans les *Confessions* (t. V, p. 56) et dans un court morceau (*Enfance chrétienne*) recueilli dans les *Œuvres posthumes* (t. I, p. 209), l'émotion du « plus beau jour de sa vie », celui de sa première communion.

Ma première communion fut « bonne ». Je ressentis alors, pour la première fois, cette chose presque physique que tous les pratiquants de l'Eucharistie éprouvent de la Présence absolument réelle dans une sincère approche du Sacrement. On est investi, Dieu est là, dans notre chair et dans notre sang. Les sceptiques disent que c'est la Foi seule qui produit cela en l'imaginant. Non. Et l'indifférence des impies, la froideur des incrédules, quand, par dérision, ils absorbent les Saintes Espèces, est l'effet même de leur péché, la punition temporelle du sacrilège...

Ma confession générale avait été scrupuleuse : je me souviens de m'être accusé de vol parce que ayant par mégarde emporté de chez une épicière de la rue des Dames deux images d'un sou au lieu d'une ! C'était bien, n'est-ce pas, cela ? (*Confessions*, t. V, p. 58.)

Ces courts passages furent écrits à une époque où le poète voulait se retrouver tout entier, avec ses bons et ses mauvais instincts de l'heure, dans l'enfant qu'il avait été ; et c'est plutôt l'affirmation d'une foi de converti qu'un souvenir ému et précis. Il passe brièvement d'ailleurs sur cet épisode de son enfance, car il lui faut, peu après, reconnaître que, sous l'influence des affreux gamins », ses compagnons de classe, sous l'influence de atmosphère du lycée, il devint vite un franc incrédule, un athée écidé. Avec Edmond Lepelletier, plus tard, il lut le *Force et Matière*, du Dr Buchner, qu'on venait de traduire de l'allemand (1863). Ce livre, bien souvent réédité, vulgarisait les raisons que les positivistes les plus intransigeants d'alors avaient de combattre les affirmations du spiritualisme ; le ton de l'argumentation était agressif, assez pour plaire à des révoltés jeunes ; les faits, entassés en manière de démonstrations scientifiques, avaient bonne apparence, et pouvaient persuader. Sous l'influence de ce livre, ou du moins sous l'influence des idées dont ce livre n'était que l'expression la plus outrée, l'impiété de Verlaine se fit brutale. Il blasphémait fort congrûment, comme on aimait à le faire autrefois dans les milieux d'étudiants ; et longtemps, dans ses lettres aux amis intimes, le nom de Dieu ne parut que pour être le prétexte de grosses irrévérences, que la typographie n'ose représenter que par des points.

Le souvenir de la « bonne » première communion était alors bien oublié. Mais, certainement, elle avait déposé dans l'esprit de Verlaine les germes d'une culture catholique rudimentaire. Jamais d'ailleurs cette culture ne fut très poussée. Plus tard, quand le poète, malheureux et tourmenté, reviendra à la religion, c'est son état d'âme d'enfant qu'il désirera reconquérir, une foi toute d'élan, de naïveté, de confiance, de pratiques, peu exigeante, sans beaucoup de dogme, avec très peu de réflexion. Dès qu'il aura retrouvé, dans un catéchisme prêté, ses sensations et sa croyance d'enfant, il arrêtera son effort de régénération et se sentira vraiment revenu à Dieu. C'est pourquoi, il n'avait pas tort, à cinquante ans, de reporter jusqu'au jour de sa première communion sa véritable et définitive initiation catholique.

Autant il est, même à cette date, rapide et imprécis sur son

éducation religieuse, autant il abonde en renseignements sur
l'éveil et les premières curiosités de sa sensualité.

> Mon enfance, elle fut joyeuse :
> Or, je naquis choyé, béni
> Et je crus, chair insoucieuse,
> Jusqu'au temps du trouble infini
> Qui nous prend comme une tempête,
> Nous poussant comme par la tête
> Vers l'abîme et prêts à tomber ;
> Quant à moi, puisqu'il faut le dire,
> Mes sens affreux et leur délire
> Allaient me faire succomber...
>
> (*Bonheur*, t. II, p. 252.)

Ses premiers enfantillages sensuels, l'exaltation de ses amitiés
masculines, son goût naissant pour la femme, il a conté tout cela
avec un parti pris de sincérité et un cynisme naïf, au regard
duquel les confidences de J.-J. Rousseau paraissent bien timides.
Ce sont là d'ailleurs les passages des *Confessions* de Verlaine qu'il
semble qu'on doive lire avec le plus de précautions, car cette attitude était chère au poète vieillissant ; c'est par elle surtout qu'il
cherchait à étonner ceux qui l'écoutaient. Sans cesse il équivoque
sur les mots, avec une extrême habileté ; il prétend vouloir
détruire ou réduire les mauvaises légendes que les aventures
de son passé ont permises ; mais sa phrase a tant de détours, les
incidentes ajoutent tant de réserves, que finalement il consolide
cette légende trouble, dont il est assez satisfait. Au total, il est
fort sincère. On ferait mal voir l'homme et l'œuvre si l'on ne
signalait cette mainmise précoce de la sensualité, — un démon
du matin ! — sur l'auteur des *Romances sans paroles* et de *Parallèlement*. On l'a bien souvent, plus tard, représenté sous les traits
d'un vieux faune barbu, lâché dans une société trop vieille pour
lui, mais complaisante. Il avait d'abord été un jeune sylvain,
enivré de sa force, impatient de jouir. Bien avant d'être poète,
il fut, selon ses mots,

L'enfant prodigue avec des gestes de satyre.

III. — *L'écolier.*

> Je ne puis que rendre un excellent
> témoignage de cet élève qui est au nombre
> des sujets distingués que compte l'éta-
> blissement. LANDRY, chef d'institution.

Verlaine fit ses études secondaires, et de très fortes études.
Il serait conforme à sa légende, et tout à fait selon le goût de
certains de ses admirateurs, qu'il ait été un « cancre ». Aussi
bien, a-t-il dit dans ses *Confessions* qu'il le fut, et il l'avait laissé
entendre plus d'une fois dans ses conversations. S'il avait pu
être mis à la porte du lycée, et prouver que ses professeurs de
français le rangèrent toujours parmi les derniers de la classe, sa
gloire serait complète ! Mais il n'en est rien, et voici pour le réha-
biliter, ou le déshonorer, comme on voudra, son « livret scolaire »,
je veux dire le certificat qui lui fut délivré à la fin de ses études.
Edmond Lepelletier nous l'a conservé.

Je soussigné, chef d'institution, certifie que le jeune Paul Verlaine a fait
toutes ses classes dans l'institution, d'octobre 1853 à juillet 1862. Qu'il a
suivi, avec des succès marqués par plusieurs prix, les cours du lycée Bonaparte, depuis la sixième jusqu'à la philosophie exclusivement; que sa conduite
a été celle d'un bon élève, et qu'il a terminé de fortes études, en se faisant
recevoir bachelier ès lettres à la fin de sa rhétorique. Je ne puis que rendre
un excellent témoignage de cet élève qui est au nombre des sujets distingués
que compte l'établissement.

Signé : LANDRY, 32, rue Chaptal.

Cette attestation universitaire souligne de façon très nette,
par la banalité même de l'éloge, que Verlaine reçut une forte
culture humaniste et classique, celle des lycées d'autrefois. On
en trouve mainte trace dans son œuvre; et c'était là une acqui-
sition ancienne, qu'il n'enrichit guère par la suite. L'armature
était si solide qu'on la sent même dans ses dernières œuvres, où
Verlaine a démoli, comme à plaisir, sa phrase, naturellement
ordonnée et claire, et où, pour satisfaire un idéal nouveau de
naïveté, il a dépouillé tout artifice littéraire, renoncé à tout
effort pour styliser.

Il est revenu avec un visible plaisir, dans les *Confessions* et dans *Mes Prisons*, sur ses souvenirs de collège. Lepelletier, qui fut son condisciple au lycée Condorcet, alors lycée Bonaparte, confirme et complète de façon intéressante les souvenirs du poète. Parmi leurs professeurs, plusieurs les instruisirent peu ou prou, mais les ennuyèrent ; quelques-uns jouèrent leur vrai rôle, en les intéressant, en aidant leur curiosité, en fouettant leur émulation. Les souvenirs joints des deux amis sont assez précis, assez vivants, pour nous bien mettre aux yeux la vision des grandes classes parisiennes d'autrefois, où les maîtres, plus dédaigneux en général qu'aujourd'hui, et moins inquiétés par la pédagogie, ne s'intéressaient guère qu'aux « têtes de classe » ; ils permettaient avec condescendance à leurs autres élèves une oisiveté volontiers turbulente. Cette méthode, qui était un moyen commode pour remédier aux empêchements des classes nombreuses, fut sans inconvénient pour Verlaine : il était, à l'ordinaire, de cette « tête de classe » bien entraînée ; les palmarès en font foi.

D'ailleurs il fut reçu bachelier ès lettres, tout de suite, et facilement, en un temps où le baccalauréat était une épreuve chanceuse et difficile, l'attestation d'études véritables. Il assurait avoir gardé jusqu'au bout de sa vie le précieux parchemin. Les *Confessions* nous racontent en détail l'oral de ce « si terrible bachot » (16 août 1862). Verlaine se souvenait alors d'avoir eu une boule blanche — c'est-à-dire un *très bien* — en histoire, une autre en français, deux autres en latin et en grec ; seule la « partie science », assure-t-il, lui valut une rouge (*assez bien*) et une noire (*mal*). Examen fort brillant ! Pour une fois Verlaine se vante. Un mois après son succès, il écrivait plus exactement à Lepelletier (16 septembre 1862) :

Sans autre préambule, je t'annoncerai que je suis reçu : la fortune m'a fait cette galanterie-là, le 16 août, jour de mon oral. J'avais une blanche pour ma version et une rouge pour mon discours [latin]. Pour l'oral, j'ai eu toutes rouges, sauf une blanche que m'a généreusement octroyée l'examinateur d'histoire. On n'est pas un élève de Rousset pour rien !

Le jeune bachelier croit inutile de parler, au lendemain de son succès, de sa *noire* en sciences ; selon les idées des collégiens et des professeurs d'alors, une telle note était d'ailleurs, pour un *littéraire*, un surcroît de gloire. Les registres de la Sorbonne (1), que l'on a eu l'obligeance de consulter, sur ma demande, confirment à peu près les renseignements de cette lettre. Ils portent que « M. Verlaine a été admis avec la mention passable », c'est-à-dire « assez bien » selon la manière actuelle de noter ; qu'il a eu une *blanche* en version latine, des *rouges* partout ailleurs, même en histoire, — il croyait pourtant bien avoir conquis l'admiration de son examinateur ! — et une *noire* pour l'interrogation de physique.

C'est à ce moment-là de sa vie, au lendemain de son baccalauréat, que nous commençons à pouvoir bien connaître Verlaine, autrement que par ses confidences tardives ou les souvenirs, plus ou moins incertains, de ses amis. Sa correspondance avec Edmond Lepelletier commence en septembre 1862 ; et les premières lettres sont assez nombreuses, longues et appliquées, comme le sont les lettres des jeunes gens de cet âge. Verlaine y parle de ses impressions et de ses joies de campagne, des *ducasses* auxquelles il prend sa bonne part, « festins homériques..., bals impossibles..., contredanses fantastiques »; il est très fier d'avoir fait danser, parmi tant de « rougeaudes » et de « pecques villageoises », « plusieurs demoiselles charmantes, jusqu'à des Parisiennes, entre autres la fille d'un des chefs d'institution conduisant

---

(1) Voici, à titre de curiosité, les « notes obtenues par M. Verlaine, à la suite de ses compositions écrites et de ses réponses aux questions portées au programme sous les numéros ci-après » :

			Nombre des suffrages	Couleur des boules
Épreuve écrite	{ Version latine		1	B
	{ Discours latin		1	R
	Explication d'un auteur	{ grec... n° 1	1	R
		{ latin... n° 3	1	R
		{ français... n° 7	1	R
Épreuve orale	Logique... n° 19		1	R
	Histoire et géographie... n° 14		2	{ R { R
	Sciences (arithmétique, géométrie, physique)... n° 1		2	{ R { N

M. *Verlaine a été admis avec la mention* Passable. (La boule blanche venait en compensation de la boule noire.)

des élèves à Bonaparte ». Ce jeune homme, très sage, s'amuse à dessiner de petits tableaux rustiques, simples et proprets ; il se promène dans les champs, un livre à la main, en rêvant pendant des heures entières. Il parle avec enthousiasme de ses lectures, des *Misérables* surtout qui venaient de paraître. Il se lance dans de grandes et belles phrases, tout à la joie du coquebin de lettres qui commence à manier le style avec un peu d'aisance, et ne se lasse pas de pousser ses mots les uns après les autres, afin de les voir s'avancer en belles files ordonnées.

Ce bachelier, très fraîchement diplômé, ne songeait, comme tous ceux alors de la « tête de classe », qu'à faire de la littérature, des vers surtout. Mais il fallait un métier, pour vivre ; du moins la famille en était persuadée. Il était tout indiqué que Verlaine fît son droit ; cela n'engage à rien, et cela lui permettait de gagner du temps, de se rendre libre, de hanter les cafés plus ou moins littéraires du Quartier latin. Et puis, le diplôme de licencié en droit, bien facile à obtenir, serait un bon appoint dans une carrière administrative ; avec lui, on pouvait devenir plus vite chef de bureau !... Verlaine prit donc sa première inscription à la Faculté de droit, le 10 novembre 1862 ; il s'inscrivit aux cours de MM. Oudot, professeur du Code Napoléon, et Machelard, professeur de droit romain. Il prit une seconde inscription le 8 janvier 1863, et ce fut tout (1). Son père comprit que le jeune homme ne voyait dans l'état d'étudiant qu'un moyen commode et décent de s'initier à la vie de bohème. Renonçant à ses premières ambitions, il se hâta de faire de ce fils paresseux un petit employé, d'abord dans des compagnies d'assurances, où il fit une sorte de stage d'application, puis dans les bureaux de l'Hôtel de ville (1864). Un traitement minuscule, pas d'avenir ; mais cela n'importait guère, sans doute, ni au père, ni au fils ; l'aisance, point trop réduite encore, de la famille permettait ces petites ambitions. Peut-être le père espérait-il inspirer à son grand fils un goût de

_____

(1) Renseignements dus à l'obligeance de M. le secrétaire de la Faculté de Droit. Verlaine (*Confessions*, t. V, p. 90) parle d'une seule inscription. On conçoit qu'il ait pu oublier la seconde.

la régularité dont il le sentait dépourvu ; du moins il lui faisait avoir ainsi une estampille qui augmentait sa valeur sociale, et rendrait plus aisé le dernier acte important prévu pour son existence : le beau mariage bourgeois.

Le jeune homme ne l'entendait pas ainsi. Il vit surtout dans sa nouvelle vie l'avantage de la liberté qu'elle lui donnait. Les heures de présence au bureau étaient réduites à fort peu de chose, et l'on pouvait quelquefois s'évader. C'était presque la vie d'étudiant, avec les gros livres de droit, les cours et les examens en moins. Les appointements, pour si maigres qu'ils fussent, donnaient à Verlaine, qui continuait à vivre chez ses parents, de l'argent de poche, une richesse qu'il n'avait jamais connue. Très vite, il hanta les cafés et les brasseries, où il retrouvait ses amis, d'abord pour le plaisir de ces rencontres, puis, bientôt, et de plus en plus, pour le plaisir aussi de boire. Il semble bien que ce soit dès les premières semaines de sa liberté que ce goût de la boisson se soit emparé de lui ; il devait singulièrement agir sur une destinée que tout, d'abord, semblait devoir rendre ordinaire et même banale.

Au lycée, Verlaine lisait les poètes qu'il aimait : V. Hugo, Th. de Banville, Th. Gautier, Baudelaire, Leconte de Lisle, Glatigny ; il commençait à faire des vers, en s'inspirant d'eux. Sa vie d'étudiant paresseux, puis de commis insouciant, lui donna tous les loisirs qu'il fallait pour ses ambitions littéraires, une pleine liberté d'esprit. Quatre ans à peine après son baccalauréat, il publia ses beaux *Poèmes saturniens*, dont les pièces les plus anciennes furent composées alors qu'il n'était encore qu'un grand collégien. L'étude de ce recueil va nous permettre de bien voir les fortes influences qui s'exercèrent sur ce très jeune écrivain, et aussi les premières manifestations de son originalité.

CHAPITRE III

VERLAINE BAUDELAIRIEN ET PARNASSIEN : LES *POÈMES SATURNIENS* (1866)

I. — *Dans les cénacles parnassiens.*

Les chers, les bons, les braves Parnassiens.
(T. III, p. 87.)

En novembre 1866, à vingt-deux ans, Verlaine publia un petit volume de vers, les *Poèmes saturniens*. Dès au sortir du lycée, il s'était bien affermi dans son dessein d'être poète ; cela comportait des obligations ; il avait conservé des relations avec ceux de ses camarades qui, comme lui, avaient l'ambition de devenir des auteurs célèbres et, qui sait ? de grands poètes ; ces amis, plus fortunés ou plus parisiens que lui, l'introduisirent dans quelques cénacles de jeunes et dans des salons littéraires. Il y subit de très fortes influences. Du moins, pour commencer, il détourna sa facilité naturelle de rimer vers les sujets et les thèmes qui plaisaient alors aux gens de son âge, à ces cénacles et à ces salons.

Entre 1860 et 1865, les jeunes gens de lettres qui avaient vingt ans, qui allaient les avoir ou qui venaient de les avoir, étaient tentés par deux chemins, très voisins au départ. Il y avait les préoccupations sociales, économiques, politiques, où se satisfaisait, pour le moment, le vieil esprit d'opposition. Il y avait aussi les enthousiasmes littéraires et artistiques qui portaient vers des poètes jusque-là restés dans une demi-gloire : Th. Gautier, Banville, Baudelaire, Leconte de Lisle, toute l'école de l'art. Peu après 1860, précisément, cette doctrine, jusqu'alors ignorée ou peu appréciée, triomphe devant un nouveau public. Les *Poèmes*

barbares paraissent en 1862 ; en 1864, Leconte de Lisle donne au
Nain Jaune une série d'articles sur les « poètes contemporains »,
où il détaille, tantôt directement et en des théories hautaines et
hermétiques, tantôt par le moyen de violentes critiques contre
les poètes de l'ancienne mode, tout un nouvel idéal d'art. C'est
de ce côté-là, du côté de la littérature pure, plutôt que vers la politique, que vont les jeunes gens désireux de se faire imprimer vite,
dans les journaux et les petites revues ; une très sévère législation
de la presse oblige en effet les périodiques à n'être que littéraires ;
si l'on glisse des articles d' « économie politique », la revue reçoit
aussitôt les avertissements réglementaires, et elle est prompte-
ment supprimée. Mais les cénacles de poètes, quoiqu'ils taisent
leurs opinions politiques, par nécessité, sont en général fort hostiles à l'Empire. Verlaine, comme la plupart de ses amis d'alors,
est à la fois républicain et parnassien, un républicain d'avant-
garde, un parnassien de la première heure..., du temps où le mot
même de Parnasse n'avait pas encore été choisi comme emblème
du groupement.

Par Verlaine lui-même et par Edm. Lepelletier nous sommes
abondamment renseignés sur les fréquentations littéraires de
l'auteur des *Poèmes saturniens*. Un de ses amis les plus influents,
— du moins celui qui eut le plus d'influence d'abord, —est Louis-
Xavier de Ricard, avec lequel il fut mis en relation par un cama-
rade de lycée, Miot-Frochot. X. de Ricard était du même âge
que Verlaine : un an de plus à peine ; mais il était plus impatient
de débuter, plus fécond ou, si l'on veut, moins délicieusement
paresseux. Comme il avait quelque argent, et que sa famille le
voyait volontiers dans ce rôle, il fonda en mars 1863 une revue
qui s'appela *Revue du Progrès moral, littéraire, scientifique et artistique.* Sa revue ne dura qu'un an, mais elle lui permit de devenir
« directeur » et chef d'école. Grâce à lui tous ses amis purent, pendant douze mois, flatter leur imagination avec de grands espoirs
d'influence et de gloire. La *Revue du Progrès* essaya de mélanger
adroitement les aspirations littéraires et les opinions politiques
du petit groupe. Mais ces opinions étaient trop vives pour qu'on
fût bien prudent. On prit vivement parti contre l'Église ; on

blâma les manifestations bruyantes qu'elle faisait, dans le même temps, contre le matérialisme et la libre pensée modernes ; on se vanta d'être « rationaliste ». Aussi X. de Ricard fut-il bientôt poursuivi pour outrage à la morale religieuse et pour avoir traité sans autorisation des sujets d' « économie politique et sociale ».

Après la condamnation du directeur et le numéro de mars 1864, la *Revue du Progrès* cessa de paraître. Verlaine avait été un de ses collaborateurs. Dans le numéro d'août 1863 il s'y manifesta sous le pseudonyme de Pablo ; il avait à ce moment-là et il eut quelque temps encore le goût de savoir l'espagnol ; il prendra bientôt, pour publier ses dangereuses *Amies*, le pseudonyme, plus somptueux, de Pablo de Herlagnez, — son vrai nom... à l'espagnole. Il se contenta du prénom pour publier dans la *Revue du Progrès* une « satirette » : *M. Prudhomme*, sonnet, qui a été reproduit avec de légères variantes, dans les *Poèmes saturniens* ; c'est la rituelle déclaration de guerre de l' « artiste » au « philistin », qui symbolise la morale et la société, qui avoue cyniquement son insouci de l'art :

> Que lui fait l'astre d'or, que lui fait la charmille
> Où l'oiseau chante à l'ombre, et que lui font les cieux,
> Et les prés verts et les gazons silencieux !
> ....
> Il est juste-milieu, botaniste et pansu...

Ce sont là, je crois, les premiers vers imprimés de Verlaine.

L.-X. de Ricard recevait ses collaborateurs et ses amis dans le salon de sa mère, au nº 10 du boulevard des Batignolles, non loin de la demeure de Verlaine, qui, en 1863, habitait 45, rue Lemercier. Là se réunissaient Catulle Mendès, François Coppée, Sully-Prudhomme, Villiers de l'Isle Adam, etc., tout l'état-major du Parnasse naissant. Les autres jours, on se retrouvait un peu plus loin, rue Chaptal, dans le salon de Nina de Callias, dont M. de Bersaucourt vient de donner un tableau pittoresque (*Au temps des Parnassiens. Le salon de Nina de Villard*, 1922). Verlaine a conservé de ce salon et de la maîtresse de maison un souvenir très attendri, jusqu'à ses derniers jours (voir notamment, t. V, p. 390). On s'y sentait plus à l'aise que chez Mme de Ricard qui était femme de général, et aimait la tenue et les bonnes manières. Chez « Nina » on se permettait bien des fantaisies, on affichait hardiment ses opinions politiques, on jouait des piécettes bouffonnes ; les réunions devenaient de joyeux tohu-bohus. On allait aussi quelquefois chez Th. de Banville (voir de charmants souvenirs, *Œuvres posthumes*, t. I, p. 183), chez Leconte de Lisle, chez d'autre poètes moins connus. Ces rencontres fréquentes, plusieurs fois la semaine, donnèrent vite au petit groupe d'amis une cohésion très forte ; elles excitèrent le désir qu'avaient ces jeunes gens de s'affirmer devant le grand public autrement que par du tapage politique ; on venait de voir d'ailleurs, par la suppression de la *Revue du Progrès*, le mauvais succès de ces manifestations ; et puis, après tout, leurs idées politiques les unissaient moins que leurs croyances artistiques.

Un an après la mort de sa *Revue*, X. de Ricard, qui était décidément né directeur de journal, fonda un journal hebdomadaire qui s'appela bravement *L'Art*, « l'art »... tout court. Le premier numéro parut avec la date du 2 novembre 1865, imprimé par un petit libraire, tout à fait inconnu alors, Alphonse Lemerre, 47, passage Choiseul ; le choix qu'on fit de lui, bien par hasard, pour imprimer *L'Art*, le destina à être l'éditeur des Parnassiens. Comme le journal était exclusivement littéraire, il ne fut ni poursuivi, ni supprimé ; mais il mourut au bout de trois mois, faute d'argent. Le dernier numéro porte la date du 6 janvier 1866.

Verlaine fut un collaborateur assidu des dix numéros de *L'Art*. Il y fit paraître deux pièces de vers, reproduites sans changements l'année suivante dans les *Poèmes saturniens* : — le 16 décembre 1865 : *J'ai peur dans les bois*, qui, dans le recueil, fut intitulé *Dans les bois* ; — le 30 décembre 1865 : *Nevermore*, que le sommaire de la revue annonçait sous le titre de *Souvenir* ; deux jolis petits poèmes qui traduisaient des états de sensibilité délicate et frémissante. Mais surtout Verlaine tint l'emploi de critique. Dès le premier numéro, il s'en prit à Barbey d'Aurevilly (*Le juge jugé*, 2 novembre et 30 décembre 1865 ; *Œuvres posthumes*, t. II, p. 307), qui montrait peu de sympathie pour les « poètes de l'art » et qui se permettait d'attaquer Hugo, Banville,

Leconte de Lisle, Flaubert, Th. Gautier, toutes les admirations
de Verlaine et de ses amis. Trois articles sur Baudelaire (16 et
30 novembre, 23 décembre 1865 ; *Œuvres posthumes*, t. II, p. 7)
permirent à Verlaine de dire son enthousiasme pour le poète des
Fleurs du Mal et pour sa conception de l'art ; il y raillait les
poètes « inspirés », les « passionnistes », qui, mauvais disciples de
Lamartine et de Musset, dédaignaient le travail, et, disait
Baudelaire, que Verlaine loua de parler ainsi,

> ... affectent l'abandon, visant au chef-d'œuvre les yeux fermés, pleins de
> confiance dans le désordre et attendant que les caractères jetés au plafond
> retombent en poème sur le parquet..., les amateurs du hasard, les fatalistes
> de l'inspiration, les fanatiques du *vers blanc*.

Verlaine se révéla si dur pour Lamartine, que Sainte-Beuve,
intéressé par cette attaque, écrivit au jeune critique pour défendre le vieux poète.

Que l'on lise dans *L'Art*, les articles de X. de Ricard, ceux
d'Edmond Lepelletier, ceux de Léon Dierx ou ceux de Verlaine,
on est assuré d'y rencontrer les mêmes idées, les mêmes développements ; quelques heures après cette lecture, on est tenté de
brouiller les signatures, tant les convictions et l'ardeur de ces
jeunes gens sont pareilles. Ils ont appris leur esthétique dans
les préfaces et les articles de critique, tout récents, de Leconte
de Lisle, « le grand moteur, proclament-ils, du nouveau mouvement poétique » ; et ils la font réapparaître, quelquefois avec
le style et le ton du maître, plusieurs fois dans chaque numéro :
définitions du Beau absolu, moqueries sur les poètes sentimentaux, désespérances rationalistes, curiosités d'histoire religieuse
et d'exotisme, — aucun des articles du nouveau code n'est
oublié.

En décembre 1865, une occasion, assez inattendue, s'offre aux
rédacteurs de *L'Art* de produire au grand jour leur esprit de soli-
darité et leur courage littéraire. Le 5 décembre, les Goncourt,
« deux artistes » fort sympathiques au groupe, vont faire jouer
au Théâtre-Français une « œuvre audacieuse et ciselée » (*ciselée*
est alors l'épithète de rigueur pour louer les productions des

amis « formistes »), *Henriette Maréchal.* Cette pièce déplaît d'a-
vance à la jeunesse des écoles, « une trentaine de jeunes provin-
ciaux, dit dédaigneusement Verlaine, et autant de jeunes paysans
qui avaient vu du rouge », parce que les auteurs, amis de la prin-
cesse Mathilde, sont suspects de complaisance envers l'Empire.
On n'aime guère l'Empire autour de Verlaine, et volontiers on
se joindrait aux « oiseaux siffleurs d'*Henriette Maréchal* ». Mais
ce serait manquer gravement à un article essentiel de la doctrine de
l'art, qui veut que l'œuvre de l'écrivain soit comprise et admirée
en dehors de toute préoccupation de politique ou de morale. Les
« partisans de l'art pour l'art » s'unissent donc une fois de plus,
comme au temps du Saint-Simonisme, des Jeunes France et de
la Préface de Mlle *de Maupin*, contre les « tribuns doctrinaires,
qui veulent que les auteurs soient les porte-voix de leur parti ».
On se souvint de la bataille d'*Hernani*, et on alla offrir au directeur de la Comédie-Française, pour un combat qu'on savait devoir
être chaud, le renfort des rédacteurs et des lecteurs de *L'Art.*
X. de Ricard, Catulle Mendès, Verlaine tâchèrent, pour les faire
taire, de mener plus grand bruit que « Pipe en bois » et sa bande
d'étudiants républicains. Pendant tout le mois de décembre,
L'Art fut plein de la rumeur de cette guerre ; le numéro du 16 décembre fut « dédié aux siffleurs d'*Henriette Maréchal* ». Après six
représentations, presque toutes tumultueuses, la pièce ne fut
plus jouée ; la cabale triomphait, mais *L'Art* avait vaillamment
combattu. Au lendemain de petites émeutes de cette sorte, après
deux semaines de vociférations publiques, une nouvelle doctrine
littéraire inspire à ses partisans beaucoup plus de confiance que
par avant et de nouvelles ambitions.

C'est malheureusement alors aussi que *L'Art* mourut, tout d'un
coup, sans prendre le temps d'adresser à ses abonnés les adieux
rituels. Une publication périodique était décidément trop lourde
pour la bourse de X. de Ricard et de ses amis. On se rabattit
alors sur le projet d'un recueil de vers paraissant à intervalles
assez éloignés : ce fut le *Parnasse contemporain, recueil de vers nouveaux*, qui parut presque aussitôt après le décès de *L'Art*, de mars
à juin 1866. Pour la première fois on vit sur la première page d'un

volume de vers le nom d'Alphonse Lemerre et la vignette de
l'Homme bêchant sous la devise *Fac et spera* (un paysan qui
n'avait pas encore osé se dévêtir, et que n'éclairait pas, en ces
heures de début, un beau soleil levant !), —une image et un nom
qui allaient, pendant plus de trente ans, illustrer bien des volumes
de vers. Ce titre de *Parnasse* ne fut, on le sait, choisi qu'après
des discussions, comme un titre neutre, précisément parce qu'il
était sans signification. Edm. Lepelletier croit se souvenir que
Marty-Laveaux, qui était érudit et connaissait bien la vieille
poésie française, proposa et fit accepter le titre de *Parnasse*,
souvent donné autrefois à des recueils collectifs de poésie.

Verlaine, qui avait comme poète, comme critique, comme soldat, joué un rôle assez important dans toute cette période préli-
minaire de l'histoire du Parnasse, est en bonne place dans le
recueil de 1866 ; il est le quinzième de la liste ; il vient immédiatement après les maîtres de la génération précédente : Th. Gautier,
Th. de Banville, Leconte de Lisle, Ménard, Baudelaire, et après
ceux de ses amis qui s'étaient fait connaître plus tôt que lui :
Heredia, Coppée, Mendès, Dierx, Sully-Prudhomme. Il y publia
huit pièces : *Vers dorés, Dans les bois, Il Bacio, Cauchemar, Sub
Urbe, Marine, Mon rêve familier, Angoisse*, qui toutes, sauf la
première, ont été recueillies dans les *Poèmes saturniens*. Un deuxième *Parnasse*, préparé en 1868, publié en 1871, contient cinq
pièces de Verlaine : *Les Vaincus, L'Angelus du matin, La soupe
du soir, La Pucelle*, recueillis en 1884 dans *Jadis et Naguère*, et
une pièce, *Sur le Calvaire*, fort irréligieuse, que l'auteur de
Sagesse préféra oublier (*Œuvres posthumes*, t. I, p. 9). Le troisième
Parnasse (1876) ne renferme point des vers de Verlaine. Le poète
était alors loin de Paris, au lendemain d'une période trouble de
sa vie ; il était oublié de ses amis, considéré comme une relation
fâcheuse ; son nom, il s'en plaignait amèrement, disparaissait des
dédicaces, où on le jugeait compromettant ; tout au plus des initiales
attestaient-elles parfois un reste de fidélité. Leconte de Lisle lui
faisait très mauvaise figure. Le pauvre Verlaine, qui ne voyait
aucun motif à cet abandon, en conçut de grandes rancunes ; il
égratigna férocement dans quelques épigrammes l'auteur des

Poèmes barbares. Mais il n'imprima point ces vers méchants.
Tout au plus les donnait-il à lire à ses amis, sur les tables des cafés.
En 1885, il prit même la plume pour soutenir la candidature de
Leconte de Lisle à l'Académie. Jamais il n'oublia ses enthou-
siasmes et ses amitiés des belles années de jeunesse. Souvent, dans
ses vers ou dans ses écrits autobiographiques (notamment dans
Mémoires d'un veuf, t. IV, p. 253), il revient à parler du Parnasse ;
c'est toujours avec une grande chaleur de sympathie.

> Or on vivait en des temps fort affreux
> ....
>
> Mais Phoebus vint qui reconnut les siens
> Et sut garder, vainqueurs de toute offense,
> Les chers, les bons, les braves Parnassiens.
> ....
>
> Tous, aussi bien les neufs que les anciens,
> Ils marchaient droit dans la stricte observance,
> Les chers, les bons, les braves Parnassiens.
>
> (T. III, p. 87.)

La publication du *Parnasse* fit enfin le bruit que n'avaient pas
réussi à déclencher ni la *Revue du Progrès,* ni *L'Art,* ni le pugilat
d'*Henriette Maréchal.* Ce fut une belle bataille de la critique ; la
satire s'en mêla ; Mendès voulut se battre en duel pour la doctrine.
Très vite, les Parnassiens, munis de cette consécration de la réclame et du succès, purent se faire imprimer. A la fin de 1866, l'éditeur Lemerre mettait en vente, à peu d'intervalle, les *Épreuves*
de Sully-Prudhomme, *Le Reliquaire* de Coppée et les *Poèmes
Saturniens.*

De ces trois volumes, c'est bien certainement celui de Verlaine
qui eut le moins de succès. Sully-Prudhomme était déjà connu ;
la critique « sérieuse » lui était reconnaissante de « diriger son vol
de poète vers les régions de la pensée pure » ; Coppée se fit accepter par sa grâce aimable ; Verlaine fut jugé « bizarre » et sans originalité : « un débutant » qui exagérait « tous les procédés connus
jusqu'ici » !

Les *Poèmes saturniens* sont un tout petit volume : trente-neuf
pièces. A en croire le poète, tous les vers de ce recueil dateraient
de sa seizième année.

J'avais seize ans et j'étais en seconde... et j'avais déjà fait plusieurs pièces, les plus enfantinement « farouches » et intransigeantes, tous les *Poèmes saturniens*, tels qu'ils parurent en 1866, sans compter bien d'autres poèmes qu'un goût meilleur qu'eux me fit écarter de ce premier livre (t. V, p. 79).

Edm. Lepelletier, plus exactement, nous informe que ce volume fut « composé en partie sur les bancs du lycée, continué durant les loisirs des cours peu suivis de l'École de droit, et achevé aux premiers mois de sa vie paisible d'employé de la ville ». Ce sont bien des vers de jeunesse, écrits aux alentours de la vingtième année.

II. — *Les inspirations de Leconte de Lisle et de Baudelaire.*

> Celui qui est d'une humeur joviale meine l'amour gayement et avec plus d'allégresse, et le saturnien avec une plus grande crainte.
>
> ET. PASQUIER.

Ce qui, à la lecture des *Poèmes saturniens*, donne le plus fréquemment dans la vue, c'est, sans conteste, l'inspiration parnassienne. Verlaine ne s'en cache nullement : ce tout jeune poète se fait gloire de se rapprocher de ses maîtres, de leur ressembler, jusque dans le choix des thèmes et le détail des procédés. On était alors à l'aurore du Parnasse, et bien des développements qui nous paraissent aujourd'hui des poncifs très usés, étaient une nouveauté. Verlaine ne manque point à redire en vers ce que, dans le même temps, il écrivait, pour *L'Art*, en prose simple ; il égrène, comme sur un chapelet, les commandements du Parnasse. Le *Prologue* cherche à définir les rapports du Poète et de l'Action ; thème très parnassien, malgré l'apparence, dont Leconte de Lisle eut grand souci, que Baudelaire ne négligea point tout à fait, et qui permettait l'expression de ces aspirations politiques et sociales, refoulées à regret, qu'on rencontre si souvent chez les poètes, aux environs de 1860. Autrefois, dit Verlaine, — c'est-à-dire dans l'Inde, en Grèce, aux temps féodaux, — les époques chères de Leconte de Lisle, — autrefois le Poète se mêlait aux

guerriers, il participait directement à l'Action. Aujourd'hui
« l'Action et le Rêve ont brisé leur pacte primitif », l'Action est
devenue désordre, tempête ; le Poète a dû se résigner à la
retraite :

> ...Voici le groupe des Chanteurs
> Vêtus de blanc, et des lueurs d'apothéoses
> Empourprent la fierté sereine de leurs poses :
> Tous beaux, tous purs, avec des rayons dans les yeux,
> Et sur leur front le rêve inachevé des Dieux,
> Le monde que troublait leur parole profonde,
> Les exile. A leur tour ils exilent le monde !
> C'est qu'ils ont à la fin compris qu'il ne faut plus
> Mêler leur note pure aux cris irrésolus
> Que va poussant la foule obscène et violente,
> Et que l'isolement sied à leur marche lente.
> Le Poète, l'amour du Beau, voilà sa foi,
> L'Azur, son étendard, et l'Idéal sa loi !
> Ne lui demandez rien de plus, car ses prunelles,
> Où le rayonnement des choses éternelles
> A mis des visions qu'il suit avidement,
> Ne sauraient s'abaisser une heure seulement
> Sur le honteux conflit des besognes vulgaires.
>
>   (T. I, p. 6.)

L'*Épilogue* des *Poèmes saturniens* enseigne à se méfier de l' « Inspiration », la bête noire du jeune Parnasse :

> Ah ! l'Inspiration, on l'invoque à seize ans !
> ....
> Ce qu'il nous faut à nous, les Suprêmes Poètes
> Qui vénérons les Dieux et qui n'y croyons pas,
> ....
> A nous qui ciselons les mots comme des coupes
> Et qui faisons des vers émus très froidement,
> ....
> Ce qu'il nous faut à nous, c'est aux lueurs des lampes,
> La science conquise et le sommeil dompté,
> C'est le front dans les mains du vieux Faust des estampes,
> C'est l'Obstination et c'est la Volonté !
> ....
> Libre à nos Inspirés, cœurs qu'une œillade enflamme,
> D'abandonner leur être aux vents comme un bouleau ;
> Pauvres gens ! L'Art n'est pas d'éparpiller son âme :
> Est-elle en marbre, ou non, la Vénus de Milo ?
> ....
> Nous donc, sculptons avec le ciseau des Pensées
> Le bloc vierge du Beau, Paros immaculé.

> Et faisons-en surgir sous nos mains empressées
> Quelque pure statue au péplos étoilé.
> (T. I, p. 77.)

Verlaine venait de le dire plus brièvement dans le *Parnasse* (*Vers dorés*) :

> L'art ne veut point de pleurs et ne transige pas,
> Voilà ma poétique en deux mots........
> Aussi ceux-là sont grands,...............
> Qui, dans l'âpre bataille ayant vaincu la vie
> Et s'étant affranchis du joug des passions,
> ....
> Se recueillent dans un égoïsme de marbre.

On ne saurait mieux s'affirmer un *Impassible*, suivant la formule extrême qui plaisait en 1866, et qui faillit devenir la vraie formule du Parnasse.

Comment s'étonner, après ces belles déclarations, qu'on ait à passer en revue dans les *Poèmes saturniens*, la série complète des thèmes parnassiens : le désespoir à froid, le renoncement à l'amour, à la religion, au plaisir de jouir des beautés de la nature, à tout « ce qui n'est pas éternel » ? Et partout des « rimes mélodieuses », des « images étincelantes ». Ce recueil de jeunesse, qui est charmant d'ailleurs, est plein de réminiscences et même de très apparentes imitations ; elles sont quelquefois si complètes, si poussées, si réussies qu'on a le soupçon d'une parodie, d'un *A la manière de*, alternativement respectueux et moqueur. M. Ernest Dupuy, qui a étudié avec beaucoup de pénétration l'évolution poétique de Verlaine, croit reconnaître dans ce livre du V. Hugo, du Th. Gautier, du Banville, du Baudelaire, du Glatigny, du Leconte de Lisle, etc., toutes les admirations du poète alors. Et c'est peut-être exagérer ; mais, pour Leconte de Lisle, il n'y a point à s'y tromper. Un titre, un nom d'une orthographe étrange mais familière à des lecteurs des *Poèmes barbares*, attire tout de suite le regard : *Çavitri*.

> Pour sauver son époux, Çavitri fit le vœu
> De se tenir trois jours entiers, trois nuits entières,
> Debout, sans remuer jambes, buste ou paupières :
> Rigide, ainsi que dit Vyaça, comme un pieu.

Ni, Çurya, tes rais cruels, ni la langueur
Que Tchandra vient épandre à minuit sur les cimes...
(T. I, p. 46.)

Verlaine, on le voit, ne s'est pas dérobé à l'obligation du poème indien, selon *Bhagavat* ; il a décrit, lui aussi, cette *Tristesse de Narapatisejou*, qu'une parodie du *Parnasse*, le *Parnassiculet contemporain*, présentait, en 1866, comme l'acte nécessaire d'initiation aux « séances littéraires de l'Hôtel du Dragon bleu ». On se souvient de la façon dont Daudet conte la lecture « à la crème-rie de la rue Saint-Benoît » par le « grand Baghavat » des poèmes indiens : *Lakçamana, Daçaratha, Çudra, Çunocépa, Viçvamitra*, etc. : « Ces jours-là, on buvait du bordeaux à dix-huit sous... Toute la salle du fond croulait, on hurlait, on trépignait, on montait sur les tables ! »

Verlaine n'a commis qu'une vraie « poésie hindoue » ; mais il s'est lancé aussi avec une apparente conviction dans de grands tableaux d'histoire : *César Borgia, La mort de Philippe II*, ce dernier surtout, en terza rima, où l'on voit des prêtres, des Inquisiteurs, un roi mourant, les vers du tombeau, une inspiration anticléricale et vengeresse, qui sont du Leconte de Lisle très teinté, quelque chose dans le genre des *États du Diable* ou des *Raisons du Saint Père*. Inutile de s'y arrêter.

L'influence de Baudelaire n'est pas visible en des pastiches aussi nets ; elle est plus subtile, plus profonde. A vrai dire, Verlaine, dans ce temps-là, pastichait bien Baudelaire aussi irrévérencieusement qu'il faisait de Leconte de Lisle ; mais c'était en des vers qu'il n'osa point recueillir dans les *Poèmes saturniens*. En 1867, il publia à Bruxelles, chez Poulet-Malassis, l'éditeur de Baudelaire, *Les Amies, scènes d'amour saphique, sonnets par le licencié Pablo de Herlagnez* [plus tard réimprimés dans *Parallèlement* 1889) et dans la *Trilogie érotique* (1907)] ; c'est une réplique des *Femmes damnées*, mais dans une note plus réaliste, plus bohème, avec moins de stylisation ; un jugement du tribunal de Lille (mai 1868) condamna le volume à la destruction, et cette petite suite des *Fleurs du mal* passa assez inaperçue.

Le titre même du recueil des *Poèmes saturniens* signale la
grande influence de Baudelaire sur Verlaine. *Saturnien* est un
mot emprunté à Baudelaire. *L'Épigraphe pour un livre condamné*,
parue obscurément en 1861, et recueillie dans le *Parnasse* de
1866, disait :

> Lecteur paisible et bucolique,
> Sobre et naïf, homme de bien,
> Jette ce livre *saturnien*,
> *Orgiaque et mélancolique.*
> . . . .
> Jette ! tu n'y comprendrais rien,
> Ou tu me croirais hystérique.
>
> Mais si, sans te laisser charmer,
> Ton œil sait plonger dans le gouffre,
> Lis-moi pour apprendre à m'aimer.

C'était renouveler un vieux mot, à peu près sorti de l'usage.
Le dictionnaire de l'Académie le donnait, en 1694, comme syno-
nyme de « mélancolique, sombre, taciturne » ; ce sens ne figure
plus dans l'édition de 1835. Un amateur de vieux mots, un con-
naisseur de la langue, comme l'était Baudelaire, devait le retrouver avec plaisir, et lui rendre même le prestige, dès longtemps
effacé, du vieil « art conjuratoire » ; il l'appela à signifier l'essence
de l'inspiration des *Fleurs du mal* ; et Verlaine, en écrivant *saturnien*, disait à peu près exactement ce que nous appelons aujour-
d'hui *baudelairien* : le modernisme de Baudelaire, tel que le
jeune poète, peu avant, l'avait défini dans *L'Art* ; la mélancolie
compliquée d'un jouisseur lassé, malade, qui se sent glisser, avec
effroi et plaisir à la fois, sous le pouvoir d'influences néfastes,
vers des heures noires. Des poèmes « saturniens », c'est bien des
choses : en réalité les diverses inspirations des *Fleurs du mal* et
des *Poèmes en prose* : des tableautins de Paris, gris et pittoresques,
des paysages tristes, des spectacles laids, des visions mélancoliques ; c'est l'évocation de la prostituée, de ses amours, de ses
amants, de la débauche, de la luxure, de la mort. Coppée, à cette
date, se plaisait volontiers, comme Verlaine, son ami et son collaborateur, à traiter ces thèmes ; ses *Intimités* (1868) en font foi ;
mais il avait moins d'ambition, en fait d'amour ; il avait peu

de « la Gouge », qu'osait hanter Verlaine ; il se contentait de la grisette !

Verlaine, en 1865, n'avait que bien peu vécu encore ; il n'avait pas connu la souffrance, les vrais attraits du « vice » ; son imitation de Baudelaire, reste le plus souvent assez livresque. Barbey d'Aurevilly, à cette époque, appela le jeune poète, dans un *Médaillonnet*, qui voulait être féroce, « un Baudelaire puritain ». Le mot de puritain sonne étrangement, quand on le prononce en même temps que le nom de Verlaine ; mais en 1866 ce qualificatif paradoxal avait son sens. Il servit quelquefois cette annéelà, à désigner les *Impassibles*. Verlaine, d'ailleurs, tel que le révélaient du moins les vers publiés dans les *Poèmes saturniens*, était un Baudelaire timide, un Baudelaire « innocent ou bien lymphatique », amoureux sentimental et ingénu, qui parlait d'appareiller « pour d'affreux naufrages », mais qui restait au port ; à peine se permettait-il une sérénade « cruelle et câline » à « *son* Ange, *sa* Gouge ». Il rêvait d'amour plus qu'il n'aimait, et pleurait plus volontiers qu'il ne parlait de jouir. On pouvait être frappé, surtout à une époque où la vraie inspiration baudelairienne était peu comprise, où l'on était surtout sensible à son audace, par cette chasteté des *Poèmes saturniens*.

On pouvait être tenté aussi de voir l'influence indéniable de Baudelaire sur Verlaine moins dans les thèmes que dans les procédés rythmiques. Il y a beaucoup de sonnets dans ce recueil, et aussi de ces stances grêles qu'avait prônées Gautier, moins de dix ans auparavant, que Baudelaire ne dédaigna point. Surtout on pouvait retrouver chez le débutant, l'effort pour donner au vers une mélodie propre, indépendante du sens des mots, qui était la grande nouveauté de Baudelaire. Verlaine s'essaie avec bonheur à des reprises harmonieuses, il fait tinter quelquefois ses vers sur des rimes peu nombreuses et choisies. Dans cette voie, il manifesta immédiatement son originalité, qui ne fut d'abord qu'une parfaite et naturelle habileté à user des procédés baudelairiens, et à les perfectionner. Sainte-Beuve, qui lui écrivit alors, lui conseillait, assez ingénument, d'abandonner « ce brave et pauvre Baudelaire comme point de départ » ; il le poussait vers les « grands sujets ». Or, c'était précisément le contraire de l'ambition de Verlaine. Déjà les grands sujets le fatiguaient, et Baudelaire n'était pour lui qu'un «point de départ ». Il ne songeait qu'à aller de l'avant.

III. — ... et les premiers thèmes « verlainiens ».

Il serait, écrivait Verlaine au début de 1890, dans un projet de préface pour la réimpression de ses premiers livres, des plus facile à quelqu'un qui croirait que cela en valût la peine, de retracer les pentes d'habitude devenues le lit profond ou non, clair ou bourbeux où s'écoulent mon style et ma manière actuels, notamment l'un peu déjà libre versification, enjambements et rejets dépendant plus généralement des deux césures avoisinantes, fréquentes allitérations, quelque chose comme de l'assonance souvent dans le corps du vers, rimes plutôt rares que riches, le mot propre évité des fois à dessein ou presque... En même temps la pensée triste ou voulue telle, ou crue voulue telle. En quoi j'ai changé partiellement... J'ai aussi abandonné certains choix de sujets : les historiques et les héroïques par exemple ; et par conséquent le ton épique ou didactique pris forcément à Victor Hugo..., et plus directement encore à M. Leconte de Lisle... Il ne m'a bientôt plus convenu de faire du Victor Hugo ou du M. Leconte de Lisle. (*Œuvres posth.*, t. II, p. 246.)

Et c'est fort exact. Les *Poèmes saturniens*, si parnassiens, si baudelairiens qu'ils soient, permettent de comprendre les curiosités poétiques qui vont tenter bientôt Verlaine. Le ton et le style même de la pièce liminaire est significatif ; quelques phrases flasques, au contour incertain, encombrées de parenthèses, d'incidentes, de propositions participiales ; la pensée se fait toute familière. Il y a là comme un raffinement d'habileté dans la facture, qui plaisait aussi alors à Coppée ; il aime, dans ses *Intimités*, à prolonger quelquefois ses phrases, au dessin sinueux, sur douze ou quatorze vers. Ce déhanchement du style, qui donne au vers une allure claudicante et incertaine, était déjà une réaction contre les habitudes parnassiennes, contre le vers trop rigide, contre la stance trop marmoréenne. Mais, dans les *Poèmes saturniens*, cette pièce liminaire est seule de son espèce ; elle nous avertit seulement d'une préférence sourde du poète.

Quelques thèmes, qui d'abord ne semblent point personnels,

mais tout baudelairiens, mettent bien en lumière les goûts intimes
de Verlaine. Et il est assez naturel qu'on s'en rende compte surtout dans une des pièces où l'inspiration livresque, la réminiscence au moins, est la plus évidente. Baudelaire avait évoqué le
souvenir d'un beau soleil couchant, qui illuminait, à travers les
vitres d'une petite maison, le repas de deux amants mystérieux.
Derrière un décor grêle et joliment insignifiant, il levait tout
d'un coup une splendide toile de fond ; la scène disparaissait alors
dans une brume dorée ; l'intimité des amants n'était plus que
lumière et rêve de lumière.

> Je n'ai pas oublié, voisine de la ville,
> Notre blanche maison, petite, mais tranquille ;
> Sa Pomone de plâtre et sa vieille Vénus
> Dans un bosquet chétif cachant leurs membres nus,
> Et le soleil, le soir, ruisselant et superbe,
> Qui, derrière la vitre où se brisait sa gerbe,
> Semblait, grand œil ouvert dans le ciel curieux,
> Contempler nos dîners longs et silencieux,
> Répandant largement ses beaux reflets de cierge
> Sur la nappe frugale et les rideaux de serge.

Verlaine évoque la même sensation, du moins il le semble
d'abord : la maison écartée, le petit jardin, les vieilles statues ;
mais ce n'est plus un couchant somptueux qui illumine cette
scène ; le souvenir amoureux est triste, non plus gravement heureux. L'image, au lieu d'aller en s'élargissant comme un éven-
tail de sensations qu'on déploierait, se rétrécit, s'amenuise de
plus en plus, jusqu'à n'être à la fin qu'une sensation, confuse et
faible, d'odeur fade.

> Ayant poussé la porte étroite qui chancelle,
> Je me suis promené dans le petit jardin
> Qu'éclairait doucement le soleil du matin,
> Pailletant chaque fleur d'une humide étincelle.
>
> Rien n'a changé. J'ai tout revu : l'humble tonnelle
> De vigne folle avec les chaises de rotin...
> Le jet d'eau fait toujours son murmure argentin
> Et le vieux tremble sa plainte sempiternelle.
> . . . .
> Même j'ai retrouvé debout la Velléda,
> Dont le plâtre s'écaille au bout de l'avenue,
> Grêle, parmi l'odeur fade du réséda.

(T. I, p. 12.)

C'est, finalement, tout autre chose que la pièce de Baudelaire.

Ce goût de transposer les thèmes baudelairiens, somptueux, colorés, « grand style », en des thèmes menus, simples, délicats, gracieux, tristes, il semble bien que ce soit là la note la plus originale de Verlaine dans les *Poèmes saturniens*. Le poète se sent triste, sans cause, sans souffrance vraie.

> Les sanglots longs
> Des violons
> De l'automne
> Blessent mon cœur
> D'une langueur
> Monotone.
> Tout suffocant
> Et blême, quand
> Sonne l'heure,
> Je me souviens
> Des jours anciens
> Et je pleure.
>
> (T. I, p. 33.)

C'est sa façon à lui d'être *saturnien*. Il est triste, mais il jouit de sa tristesse; il l'aime. Ce n'est pas l'épouvante devant l'avenir, l'horreur de mauvais souvenirs, des inquiétudes sur la destinée ; c'est une sorte d'énervement, point assez fort pour incommoder, qui permet de goûter dans les spectacles les plus habituels des sensations cachées et rares. Verlaine est triste à la manière de Sully-Prudhomme ; mais il réfléchit moins que lui sur les causes de sa tristesse. Un vent de chagrin passait alors sur le Parnasse. Edm. Lepelletier nous assure que « ces accès de pessimisme étaient absolument factices, imaginés, rêvés... La douleur qu'il (Verlaine) prétendait éprouver n'était que conception d'artiste ». On l'en croit volontiers, mais il n'y a point là d'insincérité. Verlaine ne prétend pas du tout à une hautaine tristesse, il ne se dit point pessimiste ; ce sont des inquiétudes seulement qu'il traduit, des inquiétudes fort vagues ; peut-être est-ce par réaction, qu'il rêve d'amours très calmes, très chastes, très pures... Quoi qu'il en ait dit, plus tard, dans les *Confessions*, il avait alors très peu déniaisé son cœur.

Pour ces thèmes incertains, pour ces sujets flous, la strophe et

la phrase parnassienne, si solidement construites en vue de porter
de nettes images ou de roides pensées, très énergiquement ryth-
mées, emportées dans un mouvement tout oratoire, — la pure
forme parnassienne eût été bien singulière. Malgré les éloges qu'il
en fait, Verlaine sait s'en passer à l'occasion. Il ne veut point
exprimer des tristesses raisonnables, raisonnées, dignes et ins-
tructives ; il ne veut point édifier ses lecteurs, ni les faire réfléchir. Sa tristesse, c'est des sensations, de pures sensations, toutes
personnelles, singulièrement associées parfois ; il faut que la
phrase ait des sinuosités capables d'enserrer tous les caprices
de cette sensibilité ; les phrases principales sont souvent celles
qui comptent le moins ; tout ce qui a plu à l'auteur, tout ce qui
charme le lecteur est dans les incidentes. Voici un sonnet *A une
femme*, où je me permets de souligner la dizaine de mots qui
constituent, si je puis dire, l'armature « intellectuelle » de la
pièce, qui assurent son sens ; ce sont, de beaucoup, les mots les
moins utiles pour émouvoir notre sensibilité.

> *A vous ces vers*, de par la grâce consolante
> De vos grands yeux où rit et pleure un rêve doux,
> De par votre âme, pure et toute bonne, à vous
> *Ces vers* du fond de ma détresse violente.
>
> C'est qu'hélas ! *le hideux cauchemar qui me hante*
> *N'a pas de trêve* et va furieux, fou, jaloux,
> Se multipliant comme un cortège de loups
> Et se pendant après mon cou qu'il ensanglante.
>
> *Oh ! je souffre*, je souffre affreusement, si bien
> Que le gémissement du premier homme
> Chassé d'Éden n'est qu'une églogue au prix du mien,
>
> *Et les soucis que vous pouvez avoir sont comme*
> *Des hirondelles* sur un ciel d'après midi,
> — Chère, — par un beau jour de septembre attiédi.
>
> (T. I, p. 16.)

Successivement les mots rebondissent sur les mots, les images
sur les images, les sensations sur les sensations. Il n'est guère
possible de résumer l'impression, de l'ordonner ; il faut la sentir,
sans choix.

Le procédé baudelairien des refrains, des rappels s'accommodait bien à ces desseins. Mais chez Baudelaire, ces refrains et ces rappels viennent à des places prévues, les mêmes. Verlaine, qui aime cette musique, la rend plus capricieuse. Un de ses « Paysages tristes », *Soleils couchants*, est bien caractéristique.

> Une aube affaiblie
> Verse par les champs
> La mélancolie
> Des soleils couchants.
> La mélancolie
> Berce de doux chants
> Mon cœur qui s'oublie
> Aux soleils couchants.
> Et d'étranges rêves,
> Comme des soleils
> Couchants, sur les grèves,
> Fantômes vermeils,
> Défilent sans trêves,
> Défilent pareils
> A des grands soleils
> Couchants, sur les grèves.
>
> (T. I, p. 26.)

Seize vers sur quatre rimes ; deux huitains, ou, si l'on veut, deux couples de quatrains aux rimes pareilles que la typographie n'a point séparés ; dans chaque quatrain, à côté d'autres rappels de mots, reviennent les mots *soleils couchants*, qui sont la note dominante. Ils sont à des places différentes, d'abord à la fin du quatrain, emplissant le vers, puis, plus en arrière, partagés entre deux vers. D'abord la mélancolie des soleils couchants que les yeux perçoivent ; puis le rêve des soleils couchants « sur les grèves » ; et c'est, peut-être, une inspiration baudelairienne (l'*Invitation au voyage*) :

> Les soleils couchants
> Revêtent les champs
> . . . .
> D'hyacinthe et d'or,

Mais l'évocation, moins somptueuse, moins colorée, moins précise, est plus musicale ; la couleur du ciel et la couleur des rêves du poète s'y fondent délicatement en une teinte que des

mots qui ne voudraient que décrire ne sauraient faire sentir. La
Promenade sentimentale brouille de même sorte des sensations
simultanées : les « rayons suprêmes du couchant », les « nénuphars
blêmes », les « roseaux », de « calmes eaux », et, finalement, l'angoisse que le poète a d'être « tout seul » dans ce paysage triste ;
puis tous ces mots évocateurs viennent une seconde fois, presque dans le même ordre ; mais, cette fois, c'est la sensation de
la solitude, plus forte avec la nuit, qui inaugure et domine l'impression totale.

Les images dans les *Poèmes saturniens* sont en général assez
nettes, vigoureusement dessinées, selon les bons principes de
l'école de l'art et du Parnasse. Pas toujours cependant. Déjà les
deux pièces que je viens de rappeler nous montrent un joli effort
pour estomper. Mais il y a mieux, et deux pièces au moins sont
comme des poésies symbolistes avant la lettre. Verlaine, dès
alors, sait dissocier les deux termes de la comparaison qu'enferme toute image. Ces deux termes, il les mêle adroitement dans
Crépuscule du soir mystique :

> Le Souvenir avec le Crépuscule
> Rougeoie et tremble à l'ardent horizon,

et tout le paysage « mystique », qui suit, brouille le souvenir avec
des sensations de lumière et d'odeur, si bien que, à la fin, le parfum trop fort du soir

> Mêle dans une immense pâmoison
> Le Souvenir avec le Crépuscule.

Le Rossignol est encore plus caractéristique. Un paysage indécis se trace : un arbre, près d'une mare, dans la nuit, sous la lune,
qui est l'image d'un cœur triste,

> le feuillage jaune
> De mon cœur mirant son tronc plié d'aune
> Au tain violet de l'eau des Regrets.

Un rossignol chante, qui est le souvenir de l'Aimée ; et le frisson de l'arbre et le chant de l'oiseau,

L'arbre qui frissonne et l'oiseau qui pleure,

ne sont, en réalité, qu'une émotion qui a cherché à se traduire à travers une image, sans que l'image soit arrivée au point de devenir vraiment perceptible à l'esprit. Un peu plus d'imprécision encore ; imaginons que soient supprimés les mots de « souvenir », de « cœur », d' « amour », qui, malgré tout, donnent à ces deux petits poèmes un sens fort précis : ce seraient de purs poèmes symbolistes ; il faudrait un commentaire, si l'on voulait retrouver la vraie intention du poète, saisir la valeur « intellectuelle » des vers, et non pas seulement la musique de leurs suggestions.

CHAPITRE IV

FANTAISIES A LA WATTEAU : LES *FÊTES GALANTES* (1869) :

I. — *La révélation de Watteau.*

> Qui est-ce qui a imposé à la généra-
> tion aux commodes d'acajou le goût
> de l'art et du mobilier du XVIIIᵉ siècle ?...
> Où est celui qui osera dire que ce n'est
> pas nous ?
>
> E. DE GONCOURT.

Dans les *Poèmes saturniens*, une série de stances, la *Chanson
des Ingénues*,

> les Ingénues
> Aux bandeaux plats, à l'œil bleu,
> Qui vivons presque inconnues
> Dans les romans qu'on lit peu,

faisait surgir de gracieuses images hors d'un passé qui restait
incertain. Une autre pièce, la *Nuit du Walpurgis classique*, évo-
quait, plus précisément, sous ce titre emprunté de *Faust*, une
vision fantomatique du XVIIIᵉ siècle :

> un jardin de Lenôtre,
> Correct, ridicule et charmant,

la nuit, sous le clair de lune, et que traversaient en dansant des
« formes diaphanes », alanguies et désespérées, très vagues sil-
houettes que le poète pouvait prendre pour ses pensées tristes
de la nuit aussi bien que pour « des morts qui seraient fous ».
Ce tableau, unique dans les *Poèmes saturniens*,

> Un Watteau rêvé par Raffet,

eût pu, mis de côté pendant quelques années, trouver sa place dans les *Fêtes Galantes*. Il signale un goût de Verlaine qui naissait dès alors. Ce goût devint vite très fort. Au lieu d'évoquer, une fois par hasard, à la manière de Raffet, la vision macabre d'une « revue nocturne », entraînant dans un lent mouvement de belles figures d'autrefois, — vision si pâle, si irréelle que le paysage, à peine dessiné, se décolorait et que le contour des personnages se dissolvait dans la lumière de la lune, — Verlaine ira contempler des toiles de Watteau ; il les « rêvera » à son tour, mais directement, et sans mettre entre elles et ses yeux d'autre écran qu'une petite tristesse heureuse qui ne brouille point les lignes et ne déforme pas les traits.

Des méditations et des rêves devant quelques-unes des belles toiles de Watteau, c'est de là qu'est sorti le recueil exquis des *Fêtes Galantes*, une petite plaquette (vingt-deux pièces), qui parut au début de l'année 1869. Il est d'une inspiration toute nouvelle dans l'œuvre de Verlaine, nouvelle aussi dans la série, perpétuellement enrichie, des thèmes qui plurent successivement aux poètes du XIXe siècle.

Cette sympathie pour l'art et les mœurs du XVIIIe siècle, qui dura, était alors toute récente. Les goûts néo-classiques de la Révolution et de l'Empire, les enthousiasmes « gothiques » du romantisme, la réaction religieuse et puritaine de la Restauration, le style Louis-Philippe... tout avait contribué, pendant la première moitié du siècle, à faire oublier les tableaux, les meubles, l'art décoratif du XVIIIe siècle. Les poètes, qui pourtant se plurent bien souvent alors à évoquer le passé, ignorent à peu près complètement l'époque de Louis XV, une époque de mauvais goût, d'erreurs, de mauvaises mœurs ou de servitude monarchique, au choix.

On peut bien lire de çà de là quelques pièces « XVIIIe siècle », où l'on a voulu quelquefois, à contresens il me semble, voir des *sources*, ou du moins une inspiration des *Fêtes Galantes*. Mais ces évocations du XVIIIe siècle, il est facile de le constater, ne ressemblent point du tout à celle de Verlaine ; il y manque l'essentiel, et pour cause.

Trente ans avant Verlaine, entre 1835 et 1840, Th. Gautier avait
écrit et publié trois courtes suites de stances : *Rocaille*, *Pastel*
(d'abord intitulé *Rococo*), *Watteau* : c'est l'image d'un coin du parc
de Versailles, puis celle de vieux portraits du temps de « La Para-
bère avec la Pompadour ». Point d'interprétation personnelle ;
le nom même de Watteau n'évoque pas de souvenirs, joyeux,
galants ou tristes, mais seulement

> un parc planté d'arbres très vieux,
> ..... un parc dans le goût de Watteau,
> Ormes fluets, ifs noirs, verte charmille,
> Sentiers peignés et tirés au cordeau.

Un peu après, Th. de Banville, dans ses *Cariatides* (1842), s'a-
musa à rassembler sous un titre charmant, *En habit zinzolin*,
huit rondeaux, triolets et madrigaux, mais c'était à la poésie
légère et badine du xviiie siècle, non à l'art, qu'il demanda son
inspiration, et il n'écrivit que d'agréables pastiches de Dorat ou
de Bernis. Dans le même temps, Victor Hugo fut amené par le
hasard d'une jolie circonstance à composer un petit poème, qu'il
est de tradition de rapprocher des *Fêtes Galantes*. Il y a bien en
effet quelque analogie dans l'inspiration ; c'est que celle-ci, chez
les deux poètes, fut d'origine artistique, point littéraire. Chez
V. Hugo cette influence de l'art du xviiie siècle et des tableaux
de Watteau est tout à fait indirecte et légère. *La fête chez Thérèse*
(16 février 1840) conserve le souvenir d'un bal masqué où les
conviés avaient revêtu les costumes familiers de Watteau :
masques de la comédie italienne, habits brodés et à ramages des
Amyntas et des Léonores... Les couples, la fête finie, à la nuit,
s'éparpillèrent sous le grand clair de lune, un peu troublés par
l'excitation de la fête et les appels de l'ombre.

> La nuit vint ; tout se tut ; les flambeaux s'éteignirent ;
> Dans les bois assombris les sources se plaignirent ;
> Le rossignol, caché dans son lit ténébreux,
> Chanta comme un poète et comme un amoureux.
> Chacun se dispersa sous les profonds feuillages ;
> Les folles en riant entraînèrent les sages ;
> L'amante s'en alla dans l'ombre avec l'amant ;
> Et, troublés comme on l'est en songe, vaguement,

> Ils sentaient par degrés se mêler à leur âme,
> A leurs discours secrets, à leurs regards de flamme,
> A leur cœur, à leur sens, à leur molle raison,
> Le clair de lune bleu qui baignait l'horizon.

Une émotion sensuelle, de beaux costumes de fête, une nuit
très douce éclairée par la lune, tout cela a donné au poète une
minute de mélancolie passionnée ; et cette mélancolie, presque
tous les poèmes des *Fêtes Galantes* la disent. Mais quelle différence ! Ici, chez V. Hugo, point de féerie du souvenir ; une mol-
lesse passagère, et quand elle envahit les sens des danseurs, on
ne les voit plus avec leurs costumes de Pierrot, de marquise ou
de Trivelin ; ils ne sont plus que des amoureux, modernes mais
vraiment hors du temps, et que troublent la nuit et le chant du
rossignol.

Il fallait, pour que l'on comprît et que l'on aimât Watteau,
qui, jusqu'alors, ne prêtait que des fonds de paysage ou des costumes de fête, il fallait que l'on sût goûter la *féerie* de ses toiles,
une féerie toute shakespearienne, selon le goût de l'époque. Et
ce n'est pas parce que ce mot et cette épithète marchent assez
volontiers ensemble, que je les joins ici ; il semble bien que le
goût pour les féeries de Shakespeare, *Le Songe d'une nuit d'été*,
Comme il vous plaira, etc., ait aidé beaucoup à la révélation du
charme de Watteau. Ces pièces avaient passé assez inaperçues,
lors de la bataille romantique, dans la masse de l'œuvre de Shakespeare ; on leur préféra de beaucoup alors les drames, qui, si
contraires qu'ils fussent, pour la conduite des scènes, à la vieille
tragédie, pouvaient s'accommoder pourtant à la tradition du
théâtre français. Théophile Gautier, — que l'on rencontre décidément presque chaque fois que la poésie française, entre 1830 et
1860, a essayé d'innover, — a longuement décrit, dans *Mlle de
Maupin*, un théâtre de fantaisie, capricieux et singulier plus que
ne le furent les comédies de Musset, mais comme elles, tout
shakespearien : « un théâtre écrit pour les fées et qui doit être
joué au clair de lune ».

On se sent transporté dans un monde inconnu, dont on a pourtant quelque
vague réminiscence ; on ne sait plus si l'on est mort ou vivant, si l'on rêve

ou si l'on veille ; de gracieuses figures vous sourient doucement et vous jettent en passant un bonjour amical ; vous vous sentez ému et troublé à leur vue, comme si au détour d'un chemin vous rencontriez tout à coup votre idéal... Il vous semble que c'est vous-même qui parlez et que la pensée la plus secrète et la plus obscure de votre cœur se révèle et s'illumine.

Cette façon personnelle, intime, d'interpréter de beaux rêves d'art, fantastiques ou fantasques, qui ne sont acceptés de la sensibilité du poète que parce que, d'abord, il les a teints aux couleurs de sa sensibilité, — cette façon va devenir celle de la critique et des amateurs d'art devant quelques toiles des peintres du xviiie siècle, celles de Watteau surtout ; ses fonds de paysage sont naturellement des décors et souvent aussi les personnages y sont de vrais acteurs ; elles donnent bien l'image d'un théâtre de fantaisie.

Baudelaire, dans une strophe de ses *Phares*, entrevit cet aspect féerique de l'œuvre de Watteau. Th. Gautier publia, en 1849, des *Variations sur le Carnaval de Venise*, où sur une banale phrase de musique il fait « courir les arabesques d'or » du carnaval véni-tien, soudainement évoqué : voici les lagunes, les palais, Arle-quin, Cassandre, Pierrot, Trivelin, tout le cortège habituel des acteurs de la Comédie italienne, les « masques » de Watteau. La vision se précise un moment, puis s'évanouit dans une « brume sonore » ; c'est un rêve « presque effacé » ; il n'est point du tout gai ; un « clair de lune sentimental », tout irréel, finit par éclairer cette songerie d'abord pimpante et alerte.

> Jovial et mélancolique,
> Ah ! vieux thème du carnaval,
> Où le rire aux larmes réplique,
> Que ton charme m'a fait de mal !

Bien plus que *Rocaille, Pastel, Watteau*, bien plus que *La Fête chez Thérèse*, ce petit poème peut être associé aux *Fêtes Galantes*. Pour la première fois, je crois, on y voit unis les trois thèmes qui sont l'inspiration essentielle des vers de Verlaine : les masques de la Comédie Italienne, joyeux et galants ; la vision pittoresque d'un passé où ces costumes étaient familiers ; et puis la mue de ces images en une féerie mélancolique et de sens intime.

L'union étroite de ces thèmes très distincts, ce sont les Goncourt qui l'ont vraiment réalisée et achevée. Ils révélèrent Watteau à leurs contemporains, et donnèrent de son art une interprétation qui plut et qui paraît avoir été unanimement acceptée.

En 1860 ils publièrent une notice sur Watteau, qui est aujourd'hui le premier chapitre de *L'Art au XVIIIe siècle*. Dès le 2 septembre 1863, les deux frères pouvaient noter avec joie au Louvre « deux collégiens » copiant des crayons de Watteau récemment acquis par le Musée. « Voilà, disaient-ils, pour le grand maître, jusqu'ici seulement goûté par les artistes, la grosse popularité qui commence. »

Il suffit, — et c'est d'ailleurs la meilleure introduction à une lecture des *Fêtes Galantes*, — de résumer la dizaine de pages qui précèdent dans *L'Art au XVIIIe siècle*, la *Vie d'Antoine Watteau par M. le comte de Caylus amateur*. On voit aussitôt combien la dette de Verlaine envers les Goncourt fut considérable. A l'époque où il écrivit ses *Fêtes Galantes*, les musées de Paris n'avaient que bien peu de toiles de Watteau. Le simple curieux, qui n'allait pas feuilleter les collections anciennes de gravures, n'avait guère à admirer que l'*Embarquement pour Cythère*, longtemps moqué Le legs du Dr Lacaze donna au musée du Louvre le *Gilles*, la *Finette*, l'*Indifférent*, la *Pastorale*, l'*Assemblée dans un parc*, l'*Automne*... ; et ce fut, pour le grand public, une révélation éclatante de Watteau. On a songé à voir là la circonstance qui aurait directement inspiré les *Fêtes Galantes*. C'est purement impossible, car le Dr Lacaze ne mourut qu'à l'automne de 1869, et la salle qui aujourd'hui porte son nom, ne fut ouverte qu'en mai 1870, plus d'un an après l'apparition des *Fêtes Galantes*. Il est vrai que les principales toiles de cette collection avaient, plusieurs fois, grâce à la complaisance de leur propriétaire, paru dans des expositions particulières ; on avait vu au grand jour, en 1860, le *Gilles*, l'*Indifférent*, la *Finette*. Il est peu probable que Verlaine ait vu beaucoup de toiles de Watteau ; mais même s'il a fait ce pèlerinage d'art assez difficile, ce sont les Goncourt qu'il avait pris pour guides.

Dès le début de leur belle préface, passionnée et nerveuse, les deux frères disent la *féerie* de ces toiles :

Le peintre a tiré des visions enchantées de son imagination un monde idéal, et, au-dessus de son temps, il a bâti un de ces royaumes shakespeariens, une de ces patries amoureuses et lumineuses, un de ces paradis galants que les Polyphile bâtissent sur le nuage du songe, pour la joie délicate des vivants poétiques.

Soigneusement ils définissent « la grâce de Watteau » :

Toutes les séductions de la femme au repos : la langueur, la paresse, l'abandon, les adossements, les allongements, les nonchalances, la cadence des poses, le joli air des profils penchés sur les *gammes d'amour*, les retraites fuyantes des poitrines, les serpentements et les ondulations, les souplesses du corps féminin, et le jeu des doigts effilés sur le manche des éventails, et les indiscrétions des hauts talons dépassant les jupes [*les hauts talons,* dira Verlaine, *luttaient avec les longues jupes*] et les heureuses fortunes du maintien, et la coquetterie des gestes, et le manège des épaules, et tout ce savoir que les miroirs du siècle dernier ont appris à la femme, la mimique de la grâce ! elle vit en Watteau avec sa fleur et son accent, immortelle.

Puis voici les paysages de Watteau, « théâtre accommodé pour une désirable vie…, une terre complice…, des bois galants », de grands arbres d'automne, de belles statues dans les parcs. Sur les pelouses viennent gambader les acteurs de la Comédie Italienne ; « un rire bergamasque sera le rire et l'entrain et l'action et le mouvement du poème ». Une « mode adorable » naît de ces « modes alliées et brouillées ». Le spectacle devient délicieux.

Dans un lieu au hasard et sans place sur la carte de la terre, il est une éternelle paresse sous les arbres. La vue et la pensée s'y assoupissent dans un lointain vague et perdu… Sur les lèvres ouvertes voltigent des pensées, des musiques, des paroles semblables aux paroles des comédies d'amour de Shakespeare… L'amour est la lumière de ce monde. Il le pénètre et l'emplit. Il en est la jeunesse et la sérénité ; et passez les fleuves et les monts, les promenades et les jardins, les lacs et les fontaines, le paradis de Watteau s'ouvre : c'est Cythère… Un recueillement tendre ; des attentions au regard vague ; des paroles qui bercent l'âme ; une galanterie platonique, un loisir occupé du cœur, une oisiveté de jeune compagnie ; une cour d'amoureuses pensées ; la courtoisie émue et badine de jeunes mariés penchés sur le bras qu'ils se donnent ; des yeux sans fièvre, des enlacements sans impatience, des désirs sans appétits, des voluptés sans désirs, des audaces de gestes réglées pour le spectacle comme un ballet, et des défenses tranquilles et dédaigneuses de hâte en leur sécurité ; le roman du corps et de la tête apaisé, pacifié, ressuscité, bienheureux ; une paresse de passion dont rient d'un rire de bouc les satyres de pierre embusqués dans les coulisses vertes… C'est Cythère ; mais c'est la Cythère de Watteau. C'est l'amour ; mais c'est l'amour poétique, l'amour qui songe et qui pense, l'amour moderne, avec ses aspirations et sa couronne de mélancolie.

Oui, au fond de cet œuvre de Watteau, je ne sais quelle lente et vague harmonie murmure derrière les paroles rieuses ; je ne sais quelle tristesse musicale et doucement contagieuse est répandue dans ces fêtes galantes.

Je m'arrête sur ces mots, qui sont presque les derniers, puisque voilà le titre même du recueil de Verlaine. Il est bien probable que c'est là que le poète l'a trouvé, encore que cette expression de « fête galante » soit précisément le titre d'un tableau de Watteau, qui est, je crois, au musée de Berlin. Cette toile pourrait servir de frontispice à une édition illustrée du volume : de grands arbres au fond, des couples amoureux, de la musique, des danses, de doux entretiens, des propos galants. Les mots de « fête galante » n'avaient d'ailleurs pas, quand Watteau les écrivit, tout à fait le même sens qu'aujourd'hui, où le mot *galant* se galvaude de plus en plus vilainement. « Galant » était un mot d'atelier et de critique d'art, qui désignait des sujets précieux, des pastorales ; il enveloppait les idées de distinction, d'élégance, de luxe, précisément tout ce que le commentaire des Goncourt faisait revivre afin que l'on pût mieux aimer Watteau. Verlaine a dû méditer sur ces quelques pages ; deux ou trois tableaux ont pu suffire à cristalliser ses sensations. On le devine très pris par le charme de cette révélation. Sa personnalité a très peu réagi, sinon de temps en temps, par une interprétation gamine et ironique, que ne permettaient pas les Goncourt ; mais ce ne sont qu'échappées.

Th. de Banville, dans le même temps, sensible à la même influence, écrivait sa *Promenade Galante :*

> Dans le parc au noble dessin
> Où s'égarent les Cidalises,
> Parmi les fontaines surprises
> Dans le marbre du clair bassin,
> . . . .
>
> Lycaste, Myrtil et Sylvandre
> Vont, parmi la verdure tendre,
> Vers les grands feuillages dormants.
>
> Ils errent dans le matin blême,
> Tous vêtus de satin, charmants
> Et tristes comme l'Amour même.

Il est de tradition d'écrire que les *Fêtes galantes* sont « visiblement inspirées » de ces quelques vers. Mais rien n'est moins sûr, car ils sont datés d'octobre 1868, alors que les *Fêtes Galantes* étaient probablement achevées, et ils n'ont paru qu'en 1869, dans les *Rimes dorées* (1). Il est possible que Verlaine ne les ait point connus avant cette date. Et l'on peut tout aussi bien supposer que Banville les ait écrits après avoir entendu Verlaine dire, chez lui, quelques-uns de ses propres vers, encore inédits. Tous deux, en tout cas, Banville comme Verlaine, ils ont lu les Goncourt ; cette mélancolie du désir était bien peu le fait de Banville !

II. — *Du Watteau rêvé par Verlaine.*

> Watteau, ce carnaval où bien des cœurs illustres
> Comme des papillons errent en flamboyant,
> Décors frais et légers, éclairés par les lustres
> Qui versent la folie à ce bal tournoyant.
>
> BAUDELAIRE.

Une fois qu'on a fini de lire les *Fêtes Galantes*, on peut s'imaginer, sans trop d'efforts d'esprit, que l'on vient de feuilleter un album de l'œuvre de Watteau. Tous les thèmes essentiels du peintre sont là : Pastorale galante, Concert champêtre, Repas champêtre, Promenade sentimentale, En bateau, La proposition embarrassante, Les entretiens badins, L'amour à la Comédie Italienne, Les saisons, Singeries, etc. Et l'on peut recomposer aussi avec les vers du poète le paysage habituel du peintre : les grands arbres que l'automne vient de teinter, la statue du faune ou de Vénus parmi le feuillage, les larges escaliers sur lesquels peuvent s'étager les groupes, et là-bas, dans le fond, la rivière indolente et la barque parée où vont s'embarquer les visiteurs de Cythère.

Lisons, pour commencer, une des pièces les plus simplement composées, les plus typiques, toute proche de l'inspiration de Watteau.

(1) Voir de même dans le *Parnasse* de 1869 : *A Watteau,* de Ch. Coran.

> Les donneurs de sérénades
> Et les belles écouteuses
> Echangent des propos fades
> Sous les ramures chanteuses.
>
> . . . .
>
> Leurs courtes vestes de soie,
> Leurs longues robes à queues,
> Leur élégance, leur joie
> Et leurs molles ombres bleues,
>
> Tourbillonnent dans l'extase
> D'une lune rose et grise,
> Et la mandoline jase
> Parmi les frissons de brise.

Gaieté, mélancolie, ces deux tons contrastés où les Goncourt avaient vu et montré le secret du charme de Watteau, se joignent ainsi tout le long des *Fêtes Galantes*. Mais l'union n'en est pas toujours aussi intime ; par moments, on n'entend qu'une de ces notes à la fois. L'interprétation du poète se fait quelquefois gamine ; le tableau est tout près de la caricature : ainsi la belle dame de *Cortège* qui se promène, suivie de son négrillon et précédée de son singe, tous deux bien familiers. Les fêtes champêtres ou les promenades en barque deviennent des parties de plaisir le dimanche au bois de Boulogne :

> Pierrot, qui n'a rien d'un Clitandre,
> Vide un flacon sans plus attendre,
> Et, pratique, entame un pâté ;

des parties de barque avec les canotières de Bougival :

> le pilote
> Cherche un briquet dans sa culotte.
> C'est l'instant, messieurs, ou jamais,
> D'être audacieux, et je mets
> Mes deux mains partout désormais.

Certes cette gaieté, vite un peu égrillarde, convient aux apparitions des personnages de la Comédie Italienne, Scaramouche, Pulcinella, le Docteur, Cassandre... : un joyeux carnaval de tous les jours, qui lâche la fantaisie et le rire, qui ne permet que la

joie, ou, du moins, refoule jusqu'après la fête les pensées de
tristesse. Ces « masques et bergamasques » aux « costumes fous »
ont encore aujourd'hui le pouvoir, rien qu'en se montrant, de
plaire, malgré leur vétusté, et d'amuser. M. Henri de Régnier le
sait bien, qui va les chercher, sous figure de marionnettes, au fond
de poussiéreuses boutiques d'antiquaire et les réanime dans telle
de ses *Histoires incertaines*, afin qu'elles punissent les âmes froides
et charment les « vivants poétiques ».

Mais la tristesse de Watteau, la douce mélancolie qu'avaient
si bien sentie et exprimée les Goncourt, plaisait mieux au cœur
de Verlaine. C'était une des notes des *Poèmes Saturniens* ; c'est
la note la plus habituelle des *Fêtes Galantes*. Le poète qui s'était
contenté d'abord, pour comprendre Watteau, de l'image du parc
à la française, peigné et correct, s'est rallié bien volontiers à une
nouvelle interprétation, qui satisfaisait mieux son besoin de
mélancolie légère. La pièce liminaire des *Fêtes Galantes* donne le
ton du recueil.

> Votre âme est un paysage choisi
> Que vont charmant masques et bergamasques,
> Jouant du luth et dansant et quasi
> Tristes sous leurs déguisements fantasques.
>
> . . . .
> Ils n'ont pas l'air de croire à leur bonheur
> Et leur chanson se mêle au clair de lune,
>
> Au calme clair de lune triste et beau,
> Qui fait rêver les oiseaux dans les arbres
> Et sangloter d'extase les jets d'eau,
> Les grands jets d'eau sveltes parmi les marbres.

C'est par là surtout que les *Fêtes Galantes*, encore qu'elles
soient une inspiration unique dans l'œuvre de Verlaine, et comme
de hasard, sont si vraiment « verlainiennes », au sens le plus
intime du mot. Le poète n'a pas aimé le XVIIIe siècle et l'œuvre
de Watteau, comme le faisaient alors Th. Gautier et Th. de Banville ; leur curiosité était surtout celle d'un amateur d'histoire
et d'art qui, faisant rencontre d'un thème neuf, heureux, brillant,
ne songe qu'à le faire valoir habilement ; ils n'y mêlaient que

bien peu de leur sensibilité. Verlaine a senti la sienne qui s'émouvait devant ces visions d'un passé auquel il semblait d'abord que rien ne pût le joindre. Appétit du plaisir et lassitude des lendemains de fête, peur ou mépris de la passion, et cependant désir de se promener dans les chemins qui y conduisent, goût de jouer avec l'énervement des sens, tout en restant ironique et froid, à l'apparence ; tout cela lui convenait à merveille.

> Moi, le lassé qui rêve d'être un ironique,

dira-t-il bien plus tard, en entendant chanter quelques-uns de ses vers de jeunesse,

> D'ainsi revivre sensuel et platonique.
> Quoi, sensuel ? Vraiment ? Platonique ? Comment ?
> Ah ! quand jeune j'étais ainsi ! Tiens, tiens. Possible,
> Après tout. Oui rêvasseur et mauvais sujet.
> Ma tête alors désirait et ma chair songeait.
>
> (T. III, p. 115.)

« Sensuel et platonique », cela convient fort bien aux *Fêtes Galantes*. Les émotions les plus fortes y sont des bouffées de désir qui montent à la tête et se volatilisent en pensées troubles et douces. Les « Ingénus » disent les émois de leurs « jeunes yeux de fous », quand ils voient luire des « bas de jambe » entre « les hauts talons et les longues jupes », ou des « éclairs soudains de nuques blanches » ; mais ces émois s'apaisent et se purifient dans le soir.

> Le soir tombait, un soir équivoque d'automne :
> Les belles, se pendant rêveuses à nos bras,
> Dirent alors des mots si spécieux, tout bas,
> Que notre âme depuis ce temps tremble et s'étonne.

Deux amants songent « tout un jour » devant une petite statue de l'Amour ; ils s'attristent que le marbre ait été jeté bas par « le vent de l'autre nuit » ; ce « dolent tableau » les touche ; ils évoquent un « avenir solitaire et fatal » (*L'Amour par terre*). Ou bien ils écoutent le chant du rossignol la nuit (*En sourdine*).

Les amants osent donner à leurs belles un baiser sur « l'extrême phalange du petit doigt » (*A la promenade*).

En relisant ses *Fêtes Galantes*, l'auteur de *Parallèlement* fut fort ébaubi. Quoi ! il avait été si sage, si vite satisfait et de si peu !

> Assez comme cela d'épithalames,
> Et puis là, nos plaisirs furent trop doux.
> ....
> C'est effrayant ce que nous nous sentons
> D'affinité avecque les moutons
> Enrubannés du pire poétastre .
>
> Nous fûmes trop ridicules un peu
> Avec nos airs de n'y toucher qu'à peine.
> Le Dieu d'amour veut qu'on ait de l'haleine.
> Il a raison et c'est un jeune Dieu.
>
> (La dernière Fête Galante, t. II, p. 168.)

Il est évident que, passé la quarantaine, Verlaine avait une tout autre idée de l'amour et des « promenades galantes ». A vingt-cinq ans, ces images équivoques, libertines et sages, folles et mélancoliques à la fois, le séduisaient. N'allait-il pas bientôt être, pour un peu de temps, le modèle des jeunes fiancés bourgeois !

Tous ces beaux sujets de Watteau, il était facile de les moderniser, malgré l'apparence de l'impression vieillotte qu'ils faisaient. Verlaine lut dans les Goncourt et il sentit dans l'*Embarquement pour Cythère* une façon nouvelle de comprendre l'amour... en littérature. Plus de ces grands sentiments, de ces passions héroïques dont le théâtre et le roman du xviie siècle s'étaient goulûment repus, point de ces sentimentalités romantiques qui avaient plu à d'autres générations. En place de la passion, le désir ; l'amour, une fois les sens bien contentés, n'est plus qu'une affaire de tête ; il est léger d'ailleurs et rapide ; le mot de fidélité n'a point de sens, et celui de jalousie n'en devrait point avoir. Des amours faciles, des hommes galants, des femmes complaisantes, des indulgences mutuelles... Tout cela n'a rien qui soit très spécifiquement « xviiie siècle » ; c'est une conception de la vie, assez commune et de tous les temps, que l'art de Watteau et de Fragonard a seulement teintée d'une grâce très séduisante, et d'une espèce de prestige supérieur. Maupassant, qui pourtant était

bien peu « rocaille », reviendra souvent, dans ses contes de jeunesse, à faire l'éloge du xviiie siècle ; il l'aime d'avoir été sans
hypocrisie, de n'avoir point demandé la pudeur à la femme,
d'avoir lâché les instincts. Cette règle de vie ne déplaisait point
à Verlaine ; il se contentait, — et Maupassant, comme lui, — d'y
ajouter une pointe d'interprétation schopenhauerienne ; tous ces
jeux d'amour cachent les grands desseins obscurs de la nature ;
l'homme qui se croit maître de son plaisir, est le jouet de forces
hostiles. Colombine, « une belle enfant méchante », entraîne
derrière elle Léandre, Pierrot, Cassandre, Arlequin.

> Eux ils vont toujours !
> Fatidique cours
>   Des astres,
> Oh ! dis-moi vers quels
> Mornes ou cruels
>   Désastres.
>
> L'implacable enfant,
> Preste et relevant
>   Ses jupes,
> La rose au chapeau,
> Conduit son troupeau
>   De dupes !

Verlaine commença à la même époque une comédie « xviiie siècle », *Les uns et les autres*, qu'il acheva peu de temps après, dans
la première année de son mariage. Elle resta longtemps inédite, car il ne put la faire jouer. Il l'imprima en 1884, dans *Jadis
et Naguère.* Le Théâtre d'Art la mit à la scène en mai 1891, lors
d'une représentation au bénéfice de Verlaine ; l'Odéon la joua
une seconde fois, vingt ans après (mai 1911), le jour de l'inau-
guration au Luxembourg, du monument du poète ; et l'on
vient (novembre 1922) d'en tirer une comédie lyrique pour
l'Opéra-Comique. C'est une œuvre mignarde et agréable, plus
« Watteau » encore que les *Fêtes Galantes.* « La scène, annonce
l'auteur lui-même, se passe dans un parc de Watteau, vers une fin
d'après-midi d'été. » Deux couples d'amants essaient de se dépren-
dre et d'échanger leurs désirs ; c'est pour obéir à la philosophie
d'amour, qu'ils acceptent comme une loi nécessaire ; mais ce

sont de pauvres amants, ingénus et sentimentaux, qui ne peuvent pas se faire libres ; à peine ont-ils lâché le ruban par lequel
ils se tenaient si volontiers serrés l'un contre l'autre, à peine se
sont-ils essayés à une petite infidélité de paroles, qu'aussitôt
ils reviennent, l'élu vers l'élue et l'amie vers l'ami, voués au parfait
et durable amour. Cette saynète n'a point le charme complexe
et équivoque des *Fêtes Galantes* ; c'est une pastorale, une vraie
« bergerie ».

La forme des *Fêtes Galantes* est encore toute parnassienne. Le
rythme y est généralement étroit, comme le voulait Th. Gautier ;
les petites strophes de vers de huit syllabes, avec des jeux de
rimes variées, y dominent ; les rimes sont riches, et les audaces
rythmiques très rares. Quelques rejets, des refrains, des essais
de correspondances baudelairiennes, comme cette permutation
des sensations de couleur et de parfum :

> Puisque l'arome insigne
> De **ta** pâleur de cygne
> Et puisque la candeur
>   De ton odeur,
>
> Ah ! puisque tout ton être,
> Musique qui pénètre,
> Nimbes d'anges défunts,
>   Tons et parfums,
>
> A sur d'almes cadences
> En ses correspondances
> Induit mon cœur subtil,
>   Ainsi soit-il !

Ces vers sont précisément d'une pièce qui peut paraître, par
trois de ses mots, annoncer les prochaines inspirations de Verlaine :

> Mystiques barcarolles,
> *Romances sans paroles.*

Mais cette expression qui sera bientôt pleine de sens pour le
poète, est venue là sans grand dessein ; elle dormira quelques
années dans sa pensée avant qu'il la trouve enfin bonne à bien
caractériser ses nouvelles œuvres.

Au moment où l'on ferme les *Fêtes Galantes* pour ouvrir les recueils qui vinrent après, on franchit, sans bien s'en apercevoir d'abord, une importante étape dans l'œuvre de Verlaine. Les *Fêtes Galantes* sont le dernier livre où le poète se soit plu à choisir des thèmes impersonnels et à styliser son inspiration d'après des modèles plus ou moins en faveur au temps qu'il écrivait. Avec les *Poèmes Saturniens* et les *Fêtes Galantes*, ce débutant avait fait ses preuves de grande virtuosité ; deux fois il avait donné son chef-d'œuvre de maîtrise parnassienne. Le succès, l'une comme l'autre fois, ne vint point ; Verlaine ne fut pas encouragé à persister, au cas où il en aurait eu envie. Abandonnant les thèmes convenus, il va oser se montrer, dans ses vers, lui-même, et tel que le feront les diverses aventures de sa vie : le jeune homme sage des belles fiançailles, — ce sera *La Bonne Chanson*; le vagabond artiste des années d'errance, de prison et d'exil, ce sera les *Romances sans paroles*; le converti de *Sagesse*, qui se croyait protégé par sa foi contre les entraînements sensuels... Après les *Fêtes Galantes*, Verlaine se détache de la tradition parnassienne, précisément à l'heure où celle-ci se faisait enfin accepter du grand public.

CHAPITRE V

LES BELLES FIANÇAILLES ET *LA BONNE CHANSON* (1870)
LA « CASSURE » DE LA VIE DE VERLAINE

I. — *Les belles fiançailles.*

> Avec ma tête folle et mes allures de
> hanneton, j'ai le fond grave et étais né
> par le fait *indeed* pour un bonheur calme
> et pour l'affection (15 avril 1873).

Au lendemain de la publication des *Fêtes Galantes*, Verlaine
avait vingt-cinq ans. Sa vie était tout unie, sans incidents, car
il serait d'une affectation singulière de compter pour tels quelques mémorables « soûleries », qui effarèrent sa mère, mais qui
pouvaient passer pour les pittoresques écarts d'un poète bohème.
Trois mois après, Verlaine essaya de fixer sa vie, de la prémunir
contre les curiosités et les aventures, et cela de la façon la plus
bourgeoise du monde, en se mariant, et en épousant une très
jeune fille, une petite bourgeoise. Ce beau dessein, vite réalisé,
provoqua bientôt une crise, très pénible pour la femme du poète,
pour lui-même, pour les deux familles, et bientôt une vraie catastrophe domestique, dont, toute sa vie, Verlaine fut accablé.
Deux ans après son mariage, il se trouva rejeté vers une existence
tout autre que celle qu'il avait voulu se donner, et, du même
coup, vers une destinée poétique bien différente de celle que lais-
saient prévoir ses premiers volumes de vers.

On ne peut point ignorer, même en eût-on envie, les événements
de ces tristes mois ; ce n'est pas simple curiosité d'historien, ou
même ce petit goût du scandale vers lequel se laissent porter
si facilement les chercheurs d'histoire littéraire. Verlaine s'est

piqué d'être le plus *sincère* des poètes, et la lamentable histoire
de cette désunion conjugale emplit une bonne partie de son
œuvre. Ses fiançailles, il les a contées tout au long, dans un recueil
de vers, *La Bonne Chanson* ; et, dans toute la seconde partie de
ses *Confessions*, il parle de ces émois anciens avec la même ingénuité cynique que de ses premiers appétits d'enfant. Combien
de vers, ensuite, ou de pages de prose, dans tous les autres recueils,
ont été inspirés par la rupture, les espoirs de reprise, la rancœur,
la haine qui ne pardonne point les refus ! Et si encore le poète
avait été seul à nous parler de ces tristes choses ! Après sa mort,
quand la gloire eut rendu sacrés tous les événements de sa vie,
ce fut une bataille entre les confidents et les amis à ne nous rien
laisser ignorer. On se montra sévère pour la femme ; sans bien se
l'avouer, on eut le sentiment qu'elle avait manqué au rôle que lui
réservait l'histoire littéraire de la France. Elle aurait dû deviner la
gloire qui attendait son mari, à vingt-cinq ans de là ; quelle n'eût
pas été sa gloire à elle, vers 1895, si elle avait été une sublime sœur
de charité, si elle avait accueilli avec des mains bienveillantes
le poète en mal d'alcool, et si, pour qu'il pût accomplir sa mission
de poète, elle l'avait endormi et réconforté après les infidélités
de ses maîtresses ! Au lieu de cela, égoïstement, elle avait cherché
son propre bonheur, et cru que la liberté le lui donnerait. Après
les amis de Verlaine, ce furent ceux de Rimbaud, qui, pour
disculper l'auteur de la *Saison en Enfer*, s'en prirent aussi à la
femme du poète et à la belle-famille.

On a mis au jour ainsi de bien pauvres histoires, encore qu'elles
aient toutes chances d'être vraies. On a entassé des commentaires
psychologiques, aussi vains sur une aventure d'hier que pour
une qui serait vieille de deux ou trois siècles. Pourquoi chercher les raisons qu'ils eurent, Elle et Lui, de se déplaire si durement qu'ils préférèrent se quitter ? C'est une banale histoire de
« mal mariés ». Il y eut des torts réciproques certes ; mais ceux
du mari furent les plus grands, puisque aussi bien c'était un
mariage bourgeois qu'il avait voulu faire, et que son humeur
et ses goûts se révélèrent tout autres qu'il n'en avait fait tacite-
ment la promesse. Le tribunal jugea sainement, qui rendit à

cet homme et à cette femme leur liberté, inutilement gâchée par tous les deux.

Mais il faut dire aussi que ce mariage était une des *possibilités* de Verlaine. Il y avait bien des promesses de sérieux dans son existence passée ; et lui-même il pouvait y croire : la sage tradition familiale, les bonnes études, la carrière d'employé, la petite fortune, les « espérances »... ; il avait vingt mille francs de « dot », il pouvait compter pour plus tard sur un revenu d'une dizaine de mille francs. « Avec ma tête folle, écrivait-il très sincèrement après la catastrophe, et mes allures de hanneton, j'ai le fond grave et étais né par le fait *indeed* pour un bonheur calme et pour l'affection » (*Corresp.*, t. I, p. 92). Tout cela, il pouvait l'avoir évidemment ; mais il ne l'eut pas ; c'est pourquoi il se disait saturnien.

Son mariage fut un mariage d'amour ; il l'a répété inlassablement en vers comme en prose, trouvant de plus en plus de plaisir, à mesure qu'il vieillissait, à ranimer ces jolis moments de sa jeunesse. Mais il y eut aussi le désir de « se ranger », de lutter, avec une alliée, contre ce goût de l'alcool qui le prenait ; il se sentait déjà un peu bien avancé sur cette mauvaise pente. E. Delahaye raconte d'après des propos que lui tint le poète, en 1873, un premier essai de conversion, qui date de 1869, très peu de temps avant les fiançailles.

Un jour il se trouve devant une église, entre soudain, va vite, cherche, voit des femmes à genoux, le blanc surplis d'un prêtre qui disparaît dans l'étroite loge d'un confessionnal. Notre impulsif s'y jette, s'y prosterne... Le pénitent quitte l'église, indiciblement heureux, un peu inquiet... Cela tiendra-t-il ? Cela tient. (*Verlaine*, 1919, p. 75.)

Cela ne tint pas. Cette « blanche période » dura « huit ou quinze jours ». La confession et la communion ne suffisaient pas ; il était utile de songer à un sacrement moins uniquement mystique. On trouve trace de cet état d'esprit dans le récit tardif des *Confessions*. Verlaine vient de conter la toute première entrevue avec la jeune fille.

Et je ratiocinais tout en m'acheminant sans but vraiment, tandis que *ma bête* se dirigeait vers l'affreux breuvage vert. Ne serait-ce pas un hasard (je ne croyais pas en Dieu depuis belle lurette), un heureux, inespéré, inespérable hasard qui me mettait cette douce fille sur le chemin mauvais où je sentais bien que j'allais me perdre... Toujours est-il néanmoins que cette fin d'après-midi-là..., je ne bus pas d'absinthe (t. V, p. 117).

Se marier, ce serait échapper à l'absinthe ! et ce qui le décida tout à fait, ce fut, écrit-il lui-même, quelques semaines après, une « cuite » et une lamentable soirée de crapule.

Le lendemain je me réveillai avec un mal de tête et des nausées morales et autres qui me parurent un châtiment... Alors, sans transition, sans trop me douter de ce qu'il allait faire, j'écrivis à Sivry une lettre... lui demandant tout bêtement... la main de sa sœur. La lettre écrite, je m'habillai en hâte et courus d'un trait à la poste. Trop tôt. Le bureau n'était pas ouvert. Je m'avisai que j'avais des timbres dans mon porte-monnaie, et ce fut d'une main fébrile, mais en somme comme résolue, que je jetai la lettre à la boîte. (T. V, p. 123 et 124.)

Elle s'appelait, celle qui allait être chargée de ce sauvetage sans qu'on la prévînt de son rôle, Mathilde Mauté de Fleurville. Mathilde ! un beau nom « carlovingien », admirera bientôt le fiancé... Elle avait seize ans. Elle était fille d'un notaire provincial, venu récemment à Paris. Elle habitait à Montmartre, rue Nicolet, tout près de Verlaine. C'était un milieu de bourgeois aisés, où l'on se piquait d'aimer les arts ; on recevait quelquefois des musiciens et des poètes. L'auteur des *Poèmes Saturniens* et des *Fêtes Galantes* avait pu, en entrant dans ce salon bourgeois, voir son prestige marcher devant lui.

Voici comment il la décrivait, au premier temps de ses fiançailles. Encore a-t-il un peu « altéré » ce portrait, en le reproduisant, bien plus tard (1887), dans les *Mémoires d'un veuf* ; il avoue ce petit méfait dans les *Confessions* (t. V, p. 112), où il dessine encore une fois cette chère image, « avec probablement quelque modification plus douce-amère que dans le texte primitif ». Ne regardons que le portrait le plus ancien.

La morte... Elle sera petite, mince avec une crainte d'embonpoint, presque simple en sa toilette, un peu coquette seulement, mais très peu. Je la vois toujours en gris et en vert, vert tendre et gris sombre à cause de ses cheveux indécis, plutôt foncés dans le châtain clair, et de ses yeux, dont on ne saurait dire la couleur ni deviner l'instinct. Bonne peut-être, bien que vraisemblablement vindicative et susceptible de rancunes irrémédiables.

Des mains toutes petites, un tout petit front que le baiser peut saluer vite pour passer à d'autres choses.

A la tempe, une fleur de veines faciles à gonfler par les colères préméditées pour des causes pardonnables après tout. (T. IV, p. 212.)

Et voici la même image, plus stylisée, plus dévotieusement peinte, dans *La Bonne Chanson*.

> En robe grise et verte avec des ruches,
> Un jour de juin que j'étais soucieux,
> Elle apparut souriante à mes yeux.
> . . . .
> Elle alla, vint, revint, s'assit, parla,
> Légère et grave, ironique, attendrie.
> . . . .
> Sa voix étant de la musique fine,
> Accompagnait délicieusement
> L'esprit sans fiel de ce babil charmant
> Où la gaieté d'un cœur bon se devine.
>
> > (T. II, p. 36.)

Très vite, elle dit : oui. Souvenir que le poète, bien longtemps après, évoquera en rêve :

> la chère nuit d'août
> Où son aveu bas et lent me fit roi.
>
> > (T. II, p. 36.)

Alors commença une période de longues fiançailles, près d'un an : une maladie de la jeune fille, puis de la mère. Verlaine parle bien longuement, dans ses *Confessions*, de cette année d'attente ; et son récit se fait mignard et mièvre pour évoquer les naïvetés de la jeune fille. Son souvenir, troublé, ou un peu polisson, qui sait ? se récrée à bien voir le temps où il était, lui, un fiancé très sage, et elle, une petite oie blanche parmi le troupeau des grandes fillettes à crinoline.

II. — « *La Bonne Chanson* ».

> J'ai gardé une prédilection pour ce pauvre petit recueil où tout un cœur purifié s'est mis.

Mais, plutôt que de lire ces pages tardives, il vaut mieux
ouvrir *La Bonne Chanson*, qui est le livre des fiançailles, le
recueil des plus belles lettres du poète :

> O mes lettres d'alors ! les miennes elles-mêmes !
> Je ne crois pas qu'il soit des choses plus suprêmes.
> J'étais, je ne puis dire mieux, vraiment très bien.
>   (T. II, p. 82.)

Ce recueil fut commencé dès les tout premiers temps des fiançailles ; l'achevé d'imprimer est de juin 1870, deux mois avant
le mariage. Le livre fut comme mis dans la corbeille de noces.
Il ne contient pas d'ailleurs toutes les pièces que le poète écrivit
pendant cette période ; trois, qui sont d'un ton un peu plus libre,
— pas beaucoup, — ont été publiées dans les *Œuvres posthumes*
(t. I, p. 68), comme de « vieilles Bonnes Chansons » ; en réalité,
elles ont été refaites assez tardivement par le poète, d'après ses
souvenirs.

Sous la fenêtre de l'aimée, le poète chante une « bonne chanson »
dont il espère recevoir bientôt le prix. C'est un titre très romance,
qui convient à de petits vers, comme le sont en général ceux de
ce blanc recueil, modulés avec un constant souci de la musique.
Chanson, romance..., ces mots s'accommodent bien à des thèmes
rebattus, à de banales plaintes amoureuses. Déjà les bergers de
L'Astrée chantaient des chansons, et il est bien difficile d'être
original quand on veut leur ressembler. Impossible de se mieux
pâmer d'amour chaste qu'ils ne le firent.

Verlaine a plusieurs fois assuré qu'il préférait à tous ses autres
volumes ce « mince ouvrage..., comme sincère par excellence et
si aimablement, si doucement, si purement pensé, si simplement
écrit ». On aura de la peine à être de son avis. N'a-t-il pas raillé
lui-même , vingt ans après,

> l'art peut-être imbécile
> D'être un bourgeois, poète honnête et chaste époux !
>   (T. III, p. 3.)

Il est rare que de belles lettres d'amour ou d'admirables poèmes
de passion soient des lettres ou des poèmes de fiancés ; l'amour

autorisé, surveillé, point satisfait, mais assuré de l'être, n'est
guère éloquent, pour l'ordinaire; on ne saurait dire qu'assez mal
les émois de cette attente. C'est pourquoi, sans doute, *La Bonne
Chanson* fait défiler, ainsi que les invités d'un cortège nuptial,
tous les thèmes d'exaltation de la femme qui sont de rigueur
en ces circonstances. Il est fait un grand emploi de majuscules,
et de ces mots auxquels convient l'emploi des majuscules : l'Aimée est la Compagne, l'Être de lumière, la Sainte, la Châtelaine...
Elle reçoit des baisers immatériels, elle est assurée d'un amour
immortel ; son cœur et celui de l'adorateur sont comparés à
deux rossignols qui chantent dans le soir ; les étoiles sont priées
de sourire bienveillamment aux deux élus... Ce sont, décidément,
les lettres d'un bon jeune homme très lettré, qui ferait fort bien
figure dans un roman d'André Theuriet, au bras d'une jeune fille
très « second Empire ».

Voici un rêve conjugal :

> Le foyer, la lueur étroite de la lampe ;
> La rêverie avec le doigt contre la tempe,
> Et les yeux se perdant parmi les yeux aimés ;
> L'heure du thé fumant et des livres fermés ;
> La douceur de sentir la fin de la soirée ;
> La fatigue charmante et l'attente adorée
> De l'ombre nuptiale et de la douce nuit.

Et voici l'affirmation de la haute dignité morale des fiancés,
meilleurs et plus purs que leur temps :

> Nous sommes en des temps infâmes
> Où le mariage des âmes
> Doit sceller l'union des cœurs.
> . . . .
> Il nous siérait, sur toute chose,
> De nous dresser, couple ravi
> Dans l'extase austère du juste,
> Et proclamant, d'un geste auguste,
> Notre amour fier, comme un défi.

Voici aussi des promesses de sagesse :

> Arrière aussi les poings crispés et la colère
> A propos des méchants et des sots rencontrés ;

> Arrière la rancune abominable ! arrière
> L'oubli qu'on cherche en des breuvages exécrés !
>
> . . . .
> Oui, je veux marcher droit et calme dans la Vie,
> Vers le but où le sort dirigera mes pas.

Ce ton, évidemment, nous fait sourire ; et il n'est pas besoin, pour cela, de savoir que ce bon jeune homme n'a pas tenu sa promesse. Ce trop de candeur nous déconcerte. C'est partout la même simplicité, plus ou moins émue, plus ou moins naturelle.

Mais Verlaine, si, peut-être, il force l'intensité de ses sentiments, n'a point du tout le souci d'en styliser l'expression. Elle est généralement tout unie. Quelques-unes seulement de ces « chansons », plus musicales que les autres, rappellent la manière, plus originale, des *Poèmes Saturniens* et des *Fêtes Galantes*.

> La lune blanche
> Luit dans les bois ;
> De chaque branche
> Part une voix
> Sous la ramée...
>
> O bien-aimée.
>
> L'étang reflète,
> Profond miroir,
> La silhouette
> Du saule noir
> Où le vent pleure...
>
> Rêvons, c'est l'heure.

C'est tout à fait là une « romance sans paroles », et de note très verlainienne, puisque le sentiment ne s'exprime point directement, puisque tout au plus on peut le deviner à travers une jolie griserie de sensations légères.

Le 5 juillet 1870, Verlaine écrivit sur un exemplaire imprimé de *La Bonne Chanson*, celui qu'il allait donner à sa fiancée, alors malade, une dédicace manuscrite :

> Espérons, ma mie, espérons !
> Va ! les heureux de cette vie
> Bientôt nous porteront envie,
> Tellement nous nous aimerons !

(Œuvres posthumes, t. II, p. 231.)

Et le mariage eut lieu un mois après (11 août 1870). Il fallut presser, au dernier moment, cette union tant différée. Le jour même où il fut célébré, le *Moniteur* promulgua une loi datée de la veille : « Tous les citoyens non mariés ou veufs sans enfants, ayant 25 ans accomplis et moins de 35 ans, qui ont satisfait à la loi du recrutement et qui ne figurent pas sur les contrôles de la garde mobile, sont appelés sous les drapeaux pendant la durée de la guerre actuelle. » Un jour plus tard, l'auteur de *La Bonne Chanson* eût été mobilisé comme célibataire et faisant partie de la classe 1864 !

Nos désastres avaient commencé ; mais le jeune ménage, d'abord, ne fut point gêné par la guerre ; à Paris, quand on n'était pas soldat, on pouvait la juger chose lointaine. On essaya de réaliser le rêve, si longtemps choyé en esprit ; on alla s'installer dans un petit appartement, rue du Cardinal-Lemoine, au coin du quai de la Tournelle, dans un des endroits les plus charmants du vieux Paris. Les Prussiens approchèrent, le siège commença... Mais déjà le rêve était fini. En décembre, les mauvaises querelles, peu à peu, abîmèrent la vie des jeunes époux.

O la première querelle, dans un jeune ménage, quelle affaire ! Date mémorable, souvent. Ce dernier cas fut le nôtre. Elle vint à propos d'une rentrée tardive et des plus avinées, ou absinthées, des remparts. Ma femme éclata en sanglots, dès m'avoir vu, puis en reproches... Ça aussi c'était en trop, — et je me fâchai à mon tour. Et très haut... Le lendemain,... après un dîner, brûlé, de cheval et de conserves de champignons, se produisirent la seconde scène et — la première claque. (T. V, p. 182.)

III. — *La crise* (1870-1872).

Vous n'avez rien compris à ma simplicité.
Rien, ô ma pauvre enfant !

Cette première claque, bien d'autres la suivirent. Verlaine songeait-il à lui, quand il écrivait dans « un conte » :

Ce fut un brutal, ce fut un ivrogne des rues,
Ce fut un mari comme on en rencontre aux barrières ;
Bon que les amours premières fussent disparues,
Mais cela n'excuse en rien l'excès des manières !

[T. II, p. 13.]

Il y eut des jours où il aurait pu s'accuser ainsi. Après le plaisir
des premières semaines de vie commune, les deux jeunes gens
s'aperçurent qu'ils avaient fait un sot mariage, et ils commen-
cèrent à réfléchir sur leur destinée. Verlaine dut se souvenir du
regard que lui avait lancé Sainte-Beuve, lorsque, quelques mois
avant, il lui avait parlé avec enthousiasme de ses projets de
mariage. « C'est à voir, c'est à voir », avait dit le vieux critique
sans grande confiance (t. V, p. 139). Ce fut bien vite *vu*. Rien
ne les réunissait. Elle avait été heureuse d'épouser un poète :
mais elle ne concevait pas que la vie de « poète », ce fût cette
bohème et ces rentrées du soir. Si elle rouvrait *La Bonne Chanson*
imprimée alors, mais comme inédite, puisque la guerre avait
empêché qu'on la mît en vente, elle devait se trouver bien lamen-
tablement déchue de ce rôle de bonne Madone, d'Être divin,
qu'elle avait trouvé fort à son goût, six mois avant. Lui, il voulait sa liberté, sans plus. Et il n'y a pas à commenter cette banale
et pénible histoire.

A en croire Verlaine, elle aurait pu s'arranger sans la présence
des beaux-parents, qui voulurent surveiller le bonheur de leur
fille, essayèrent de morigéner le gendre, lui firent très grise mine
lors de ses incartades, et puis, dès qu'il commença à s'éloigner
reprirent la direction morale d'une épousée si jeune qu'elle était
une vraie « femme-enfant ». Le pire, c'est que, dans le courant
de 1871, Verlaine dut aller habiter avec eux. L'écroulement de
la Commune le laissa sans emploi ; et l'exiguïté nouvelle des
ressources exigea ce rapprochement qu'une vieille tradition
engage à juger très hasardeux. Il y eut des scènes abominables

Tu n'as peut-être pas oublié, écrivit un jour Verlaine à E. Lepelletier, que
tu dois venir déjeuner aujourd'hui vers 1 heure rue Nicolet. Je t'attends
Ne fais aucune allusion à ma soulographie d'hier. Je crois avoir dissimulé
(par quel prodige d'hypocrisie ?) l'état flamboyant où m'avaient mis les
absinthes, bitters et bocks d'hier. (*Corresp.*, t. I, p. 35.)

Ces « états flamboyants », le poète ne parvenait pas toujours
à les dissimuler ; ils étaient trop fréquents. Un chapitre des
Mémoires d'un veuf (*Bons bourgeois*) conte, d'une façon qui veut

être grossement comique, une mémorable dispute entre « un gendre un peu éméché » et le père, « une magnifique calotte de drap d'or un peu de côté sur sa tête chauve et blanche » ; le gendre « éméché » casse les assiettes, les verres, les carafes, il brise la suspension, démolit les chaises ; de vilaines injures sont échangées. Et encore les pudeurs de l'imprimeur ont-elles adouci la scène et estompé le souvenir rancunier du poète :

Voici un essai, disait-il en l'envoyant à Lepelletier pour le *Réveil...* Je le crois assez général et dramatisé pour pouvoir passer. S'il doit passer, je le recommande surtout le *Vieille m...*! (Tu te doutes à qui ça s'adresse). Si toutefois c'était impossible, on pourrait mettre *Vieille m...* ! ou *Vieille moule* ! Mais que *Vieille m...* ! me ferait du plaisir, s'il y avait moyen que ça passât en toutes lettres. (*Corresp.*, t. I., p. 189.)

Malgré le plaisir d'écraser le beau-père notaire sous d'aussi triomphales injures, il devait devenir bientôt impossible à Verlaine de continuer à vivre rue Nicolet ; la jeune femme avait, elle, d'assez bonnes raisons pour ne pas se trouver à nouveau seule dans la vie avec un aussi fantasque compagnon.

Et puis ce mari était devenu un oisif. Son mariage l'avait dispensé d'être enrôlé dans les troupes régulières ; mais bientôt il s'engagea dans la garde nationale. Rien ne l'y obligeait ; son métier à l'Hôtel de ville l'en dispensait même tout à fait. Il semble bien que le médiocre employé qu'il était, ait vu là un moyen ingénieux de n'aller au bureau qu'un jour sur deux. Être à demi garde national et à demi employé, cela pouvait donner, dans l'une comme l'autre de ces deux existences, une profitable indépendance. Cette liberté, le laisser-aller militaire, les longues séances d'oisiveté au corps de garde poussèrent de plus en plus Verlaine vers l'alcool. Les beuveries en compagnie de gardes nationaux assoiffés paraissent bien avoir été le plus clair de sa vie militaire. Ses amis ont parlé de son engagement dans les troupes de marche ; lui-même, dans une fantaisie à demi auto-biographique, la *Chanson de Gaspard Hauser*, il a autorisé cette légende :

Bien que sans patrie et sans roi,
Et très brave ne l'étant guère,

> J'ai voulu mourir à la guerre ;
> La guerre n'a pas voulu de moi.
>
> (T. II, p. 270.)

Rien, je crois, ne permet de préciser cette légende ; et Verlaine,
dans *Mes Prisons*, a parlé bien plus simplement, et en grande
sincérité, de ses quelques mois de vie militaire :

> Le Rempart et le Bureau alternaient plus ou moins agréablement dan
> ma vie assez confortable d'alors... Le premier feu jeté, bien savourée l
> ioie de porter le képi de fantaisie et de manier le flingot à tabatière..., l
> Bureau finit par l'emporter dans mes préférences sur le Rempart, ses partie
> de bouchon dans la neige, son froid aux pieds et cet ennui !
>
> (T. IV, p. 372.)

Ce « pantouflard » finit d'ailleurs par se montrer aussi inexac
« au rempart » qu'au bureau. A la première occasion, — un
petite maladie, — il lâcha la garde nationale. Pendant la Com
mune, il resta à son poste, et fut chargé quelque temps du ser
vice de la presse. Rien ne l'y mit en vue. Mais après la rentré
des Versaillais, inquiet avec plus ou moins de raison, car la jus
tice était alors pressée et peu minutieuse en ses enquêtes, il cru
bon de faire le mort ; il ne reparut point au bureau. Cette oisi
veté complète avait d'ailleurs de quoi lui plaire. Mais c'est auss
à ce moment que la vie commune devint insupportable à s
femme et à ses beaux-parents comme à lui.

Verlaine a écrit, bien plus tard, une petite nouvelle, qui es
comme une affabulation de ces mauvais jours de sa vie : *Pierr
Duchâtelet*, publiée en 1886 avec *Louise Leclercq*. Rien n'y manqu
le jeune employé, la très jeune femme, la garde nationale, sino
que le héros ne boit point. Tout le mal vient du beau mouvemer
de Pierre Duchâtelet, qui se porte comme volontaire pour all
au feu. Sa femme, égoïste, n'admet point ce dévouement ; el
quitte son mari ; les beaux-parents jouent le vilain rôle qu'o
attendait. Alors seulement, le malheureux garde national s'
bandonne à la boisson ; il erre à Bruxelles et à Londres, et
meurt à l'hôpital, les yeux emplis de son rêve de patriote. A ce
près que Verlaine a fait de Pierre Duchâtelet un héros sans tach

et qu'il a rejeté sur la femme tout l'odieux de la rupture, ce récit
peut être lu comme une vraie autobiographie. C'est d'ailleurs
son seul intérêt. On dirait du Coppée, un de ces « vieux Coppées »,
que Verlaine s'amusait quelquefois à écrire par goût de caricature.

IV. — *La « cassure »*.

On m'a cassé ma vie.

Il y eut pourtant quelques rencontres amies à Paris ou
à la campagne, de petits et brefs recommencements de vie
commune. La tourmente politique et sociale qui avait aidé à
désaxer Verlaine allait s'apaisant ; un enfant allait naître... Mais
le mois où il naquit (octobre 1871) fut aussi le mois où Arthur
Rimbaud entre dans la vie de Verlaine. Le prestigieux adolescent fut aussitôt comme le pôle vers lequel convergèrent tous les
dégoûts anciens et récents de Verlaine, toutes ses aspirations
d'affranchissement hors de la geôle bourgeoise. Les quelques possibilités qui restaient d'entente s'évanouirent. En juillet 1872,
Verlaine s'enfuit de Paris avec son jeune ami ; une nouvelle vie
commença pour lui.

Pourtant il ne tenait pas à trancher tout lien avec son passé.
Il se cramponna même à ce passé, où il y avait tant de souffrance
donnée et reçue. L'union était impossible maintenant, il le voyait
bien ; il faisait tout ce qu'il fallait pour cela. Mais, plus tard ?
C'est la femme qui voulut la séparation ; et elle entama les pro-
cédures nécessaires. Elles furent longues. De Bruxelles, de Londres,
de la prison bientôt, Verlaine tâcha de se défendre ; mais l'exil
et le malheur le désarmaient. Ses lettres de ce temps-là à E. Lepelletier, bien sincères, bien tourmentées, nous révèlent son vrai
sentiment : il se jugeait l'abandonné, le trahi. Il offrait des « par-
dons chastes », il se plaignait de l'indifférence de sa femme. Quelques pièces de *Romances sans paroles* (*Birds in the night, Child
Wife*) font de lui un malheureux, un incompris :

Vous n'avez rien compris à ma simplicité,
          Rien, ô ma pauvre enfant !
Et c'est avec un front éventé, dépité,
          Que vous fuyez devant.

. . . .

Et vous n'avez pas su la lumière et l'honneur
          D'un amour brave et fort,
Joyeux dans le malheur, grave dans le bonheur,
          Jeune jusqu'à la mort !

C'est à cause de ces vers, et de quelques autres semblables, qu'il songea un moment à appeler les *Romances sans paroles* : *La Mauvaise Chanson*, afin de railler, par le seul contraste des titres, le pauvre livre des fiançailles. Mais c'était un titre menteur, car il ne voulait pas, il ne savait pas encore être méchant.

Je suis bien découragé, écrivait-il à E. Lepelletier en novembre 1873, de sa prison de Mons, — bien triste par instant... Je la plains de tout mon cœur de tout ce qui arrive, de la savoir là, dans ce milieu qui ne la vaut pas, privée du seul être qui ait compris quelque chose à son caractère, je veux dire moi. On a tant fait, on lui a tant fait faire, qu'à présent elle est comme engagée « d'honneur » à pourrir dans son dessein. Au fond, j'en suis sûr, elle se ronge de tristesse, peut-être de remords. Elle *sait qu'elle a menti à elle-même,* elle sait qui et quel je suis, de quoi je suis capable pour son bonheur. De ce qu'elle m'a vu saoul, et de ce qu'on lui a infusé dans la tête que je l'avais outragée de la pire façon, — je n'en puis conclure que ce soit spontané chez elle, ce tic de vouloir se séparer : c'est surtout pour la galerie, — et c'est triste... Tu ris peut-être de ma psychologie, et tu as tort : c'est vrai tout ça. (*Corresp.*, t. I, p. 117.)

Ce ne fut que peu à peu qu'il s'entraîna à mal parler de sa femme. Jusqu'au bout il espéra qu'elle viendrait « à résipiscence et à son ménage, loin de son papa et de sa maman ». « En ce cas, écrivait-il en septembre 1874, elle trouvera l'oubli et le bonheur. » Il était trop tard alors. Les événements voulus par sa femme achevaient de se dérouler ; et Verlaine, en prison, ne les apprenait que mal et tard. La séparation, prononcée en avril 1874, fut confirmée en janvier 1875 ; le jugement reprochait à Verlaine des « sévices graves » ; l'enfant était confié à la mère, le père devait payer une pension... Dix ans après, la République ayant, dans l'intervalle, rétabli le divorce, la séparation fut transformée en divorce (février 1885). La femme se remaria peu après. Verlaine, à qui ses nou-

velles opinions catholiques ne permettaient pas d'accepter la
dissolution du mariage, accueillit avec colère la nouvelle de cette
brisure définitive ; il parla de « concubinage » !

Jamais il ne revit sa femme. Il revit son fils, peu et très rarement. E. Lepelletier, pourtant bien informé, a pu écrire : « Ni le
père ni le fils ne se sont connus » ; c'est inexact, mais il s'en faut
de peu. Pendant longtemps, la mère s'opposa à toute entrevue ;
et il ne paraît pas que le père ait fait de grands efforts pour rom-
pre cette opposition ; d'ailleurs il ne s'acquittait point des obligations que lui avait imposées le jugement de séparation. Il
finit par revoir son fils, lors de passages à Paris, quand celui-ci
était un petit garçon de six ou sept ans.

> Et j'ai revu l'enfant unique ; il m'a semblé
> Que s'ouvrait dans mon cœur la dernière blessure,
> Celle dont la douleur plus exquise m'assure
> D'une mort désirable en un jour consolé.

> *(Sagesse*, t. I, p. 232.)

Après cette brève rencontre, les vies du père et du fils se sépa-
rèrent à nouveau. Quelque dix ans après (décembre 1886), Verlaine se heurtait à un nouveau refus de sa femme récemment
remariée.

> Je pense, écrivait-il alors, que j'ai quelques droits à voir mon fils et à
> m'occuper de lui. Il a quinze ans passés... On lui a parlé de moi en bien et il
> se rappelle très bien mes visites d'il y a quelques années. (*Corresp.*, t. I,
> p. 204.)

Ce désir ne dura point. Quelques vers de triste évocation suffisaient, pour l'ordinaire, à tromper et à apaiser ces bouffées
d'amour paternel. Plus tard, ce fut le fils qui désira voir son père.
La mort était proche. Des obstacles, comme il était trop facile,
furent mis à cette rencontre. Le fils, qui faisait alors son service
militaire, ne put arriver à temps pour conduire les obsèques de
son père. Ce fut une si triste circonstance que la mère crut devoir
s'en expliquer dans une lettre qui fut rendue publique ; mais,
sans doute, elle n'espérait guère convaincre, en disant la série

des hasards matériels qui avaient empêché jusqu'au dernier moment, une rencontre que jamais elle n'avait consentie.

Toute l'œuvre de Verlaine, vers ou prose, est pleine du souvenir de son fils, du souvenir de sa femme, et même de celui de ses beaux-parents. A la mort de sa belle-mère (1894), il écrivit de beaux vers, attendris et aimants, où il se rappelait sa douceur en ces « tristes tempêtes » ; mais il avait fallu, pour qu'il parlât ainsi, cette mort, et aussi l'émotion des vers qu'on écrit, car il l'avait vilainement injuriée dans ses lettres. Ce n'était que par instants aussi, sur le tard, qu'il songeait doucement à sa femme, qu'il rêvait d'être pardonné. En réalité, sa rancune ne désarma point jusqu'au bout. Le recueil posthume des *Invectives* contient un *Post-scriptum au Prologue*, qui est, sans précautions, dur et mauvais :

> Je récuse comme ma Muse
> Celle qui ne sut m'aimer,
>
> Celle à qui mon nom sut plaire,
> Quand j'avais un sou vaillant,
> Et qui me lâcha m'ayant
> Ruiné, non en colère,
>
> Non pour tel ou tel grief,
> Sans nul doute un peu plausible,
> Mais de sang-froid, plus horrible
> Que tel criminel grief.
>
> . . . .
> Et mon fiel fier qui s'amuse
> Récuse à titre de Muse
> Cette épouse sans pudeur.
>   (T. III, p. 309.)

Il le voyait bien alors : une des plus belles possibilités de sa vie avait été annulée. Ce bonheur, un peu terne, mais solide, qu'il avait eu en mains, et qu'il avait brisé tout le premier, il le regrettait. Il voyait, derrière lui, ses longues années noires, l'exil ; la solitude, sans rien pour le consoler, pas même la gloire ; puis, quand la gloire était venue, la misère s'était faite pesante, la bohème laide, les compagnes de vie revêches et peu sûres, l'hôpital moins plaisant qu'on n'aimait à le dire en vers. L'avenir pouvait lui faire peur. Alors, par moments, aux heures de dépres-

sion, il faisait remonter de son passé ce rêve impossible d'une vie
calme et conjugale.

> Je voudrais, si ma vie était encore à faire,
> Qu'une femme très calme habitât avec moi,
> Plus jeune de dix ans, qui portât sans émoi
> La moitié d'une vie au fond plutôt sévère.
>
> ....
>
> Si le bonheur était d'ici, ce le serait !
> Puis nous nous en irions sans l'ombre d'un regret,
> La conscience en paix et de l'espoir plein l'âme,
>
> Comme les bons époux d'il n'y a pas bien longtemps,
> Quand l'un et l'autre d'être heureux étaient contents,
> Qui vivaient, sans le trop chanter, l'épithalame.
>
> (T. II, p. 265.)

Sa vie, certes, avait été « cassée », comme il l'écrivait dès 1873.
Mais il est vraisemblable que, sans cette cassure, il n'aurait point
été le poète qu'il fut. Elle permit que, toutes les autres attaches
rompues, il subît l'influence toute-puissante de Rimbaud ; sa
vie fut bouleversée, sa conception de la poésie toute renouvelée.
Grâce à lui, grâce aux nouveaux horizons de l'esprit qu'il aperçut en sa compagnie, grâce aux malheurs qui le frappèrent alors,
il écrivit les *Romances sans paroles* et *Sagesse*, ses deux plus
belles œuvres probablement, les plus originales en tout cas. La
crise de 1871-1872 riva au pied du poète un boulet de malheur ;
mais il ne devint lourd qu'avec l'âge ; Verlaine, d'abord, le tira
fort gaillardement. En réalité, il était maintenant affranchi,
hors de la vie bourgeoise, hors des cénacles, lâché sur les grandes
routes, libéré de toutes les formules, et, s'il le voulait, de toutes
les conventions. On le voit bien aux premiers vers qui suivent cette
crise ; l'*Art poétique*, annonciateur de temps nouveaux en poésie,
date de la seconde année de cet affranchissement.

CHAPITRE VI

L'INFLUENCE DE RIMBAUD. — NOUVELLE POÉTIQUE. — LES ROMANCES SANS PAROLES (1874)

I. — *Verlaine et Rimbaud.*

Mon grand péché radieux.

Pendant près de deux ans, de l'automne 1871 à l'été 1873, Verlaine subit une grande influence, une influence presque unique, celle de Rimbaud. Après 1873, il y a déprise ; mais les causes de cette déprise sont toutes matérielles : l'intimité des deux poètes est rompue ; Verlaine est en prison. Quand il en sort, une de ses premières pensées est de retrouver Rimbaud ; c'est celui-ci qui, alors, s'écarte, définitivement, et, peu à peu, Verlaine est rendu à lui-même.

Dans une de ses autobiographies, celle qu'il a écrite pour la série des *Poètes maudits*, sous le titre *Le Pauvre Lélian* (1884), Verlaine remplace le récit de cette période de sa vie par une ligne de points ; et il serait mieux, peut-être, de retracer à nouveau cette ligne de points, ne fût-ce que pour protester contre la fureur d'indiscrétion des biographes de Verlaine et de Rimbaud. Mais ce serait vraiment une gageure que ce silence. Verlaine ne s'est point tu de cette aventure ; son œuvre est pleine du souvenir du prodigieux ami. Cet excès de réserve nous conduirait d'ailleurs à supprimer une des grandes perspectives de l'œuvre de Verlaine ; on rendrait à peu près inexplicable l'époque où l'auteur des *Romances sans paroles* et de *Sagesse*, définitivement affranchi du Parnasse, devient le poète tout à fait original dont a pu se réclamer, dans toute l'Europe comme en France, une bonne partie de la poésie moderne.

Mais on peut être bref. Il y a eu, pendant deux ans, une amitié passionnée entre deux poètes... L'historien de la littérature n'est point un confesseur, un juge d'instruction, un psychiatre ; il n'a point à établir un dossier d'enquête pour mieux connaître les dérèglements passionnels, préciser des cas et fixer des responsabilités. A qui voudrait se montrer sévère ou curieux, il ne serait pas nécessaire d'aller bien loin : l'œuvre de Verlaine est pleine d'équivoques verbales, qu'il a volontairement écrites et imprimées, malgré les observations, bien souvent, de ses amis, afin que les Philistins pussent penser le pire de cette aventure. Par moments, il n'y a plus du tout d'équivoque dans les mots :

> Les passions satisfaites
> Insolemment, outre mesure,
> Mettaient dans nos têtes des fêtes
> Et dans nos sens, que tout rassure,
> Tout, la jeunesse, l'amitié,
> Et nos cœurs, ah ! que dégagés,
> Des femmes prises en pitié
> Et du dernier des préjugés.
> . . . .
> Le roman de vivre à deux hommes
> Mieux que non pas d'époux modèles,
> Chacun au tas versant des sommes
> De sentiments forts et fidèles.

(*Parallèlement*, t. II, p. 197.)

Les *Œuvres posthumes* renchérissent encore :

> Nous ne sommes pas le troupeau.
> C'est pourquoi, loin des bergères,
> Nous divertissons notre peau
> Sans plus de phrases mensongères.
> . . . .
> Nous comptons d'illustres aïeux,
> Parmi les princes et les sages,
> Les héros et les demi-dieux
> De tous les temps et tous les âges.

(*Œuvres posthumes*, t. I, p. 124.)

Et, si l'on ouvre l'œuvre de Rimbaud, il est possible d'y lire des témoignages pareils, aussi évidents malgré les transpositions des faits et des images. La seule chose qui nous importe, c'est de savoir comment cette amitié passionnée, dépouillée des contingences sensuelles, a réagi sur l'art des deux poètes, plus précisément, car c'est ainsi que la question se pose, quelle a été l'influence qu'eut Rimbaud poète sur Verlaine poète. Tout se passa comme si, pendant un certain temps, Rimbaud était devenu tout l'horizon de Verlaine; il remplaça pour lui l'ambiance familiale, l'ancienne et la nouvelle famille ; il permit l'expansion de ce besoin d'affection que portait en lui l'auteur de *La Bonne Chanson*, et que laissait sans objet la rupture du beau rêve conjugal ; il lui ouvrit un monde nouveau de pensées et de sensations, et l'obligea à regarder l'univers comme lui seul il savait le voir.

La suite des faits qu'on ne saurait ignorer, est brève. Rimbaud arrive à Paris à la fin de septembre 1871 ; Verlaine aussitôt s'enthousiasme pour lui. En avril 1872, Rimbaud retourne dans son pays, à Charleville ; mais, peu après, en juillet, les deux amis partent pour la Belgique; c'est comme une fuite, une sorte d'enlèvement. A Bruxelles, Verlaine a avec sa femme une entrevue qui n'aboutit point à rétablir l'accord. A la fin de septembre, les deux poètes gagnent Londres ; en décembre, Rimbaud revient à Charleville. En mai 1873, Verlaine vient le retrouver en France. Tous deux repartent à Londres. Un mois après, nouvelle séparation ; c'est Verlaine, cette fois, qui part, brusquement. Bientôt, il se ravise ; il appelle auprès de lui Rimbaud qui le rejoint à Bruxelles. Deux jours après cette réunion, le 10 juillet 1873, Rimbaud annonce son intention de partir : Verlaine a un brusque accès de violence, comme lui en donnait parfois la boisson :

> J'ai des menaces, hein ? et des gestes de mort,
> Par des fois, qui ne sont pas plus rares, en somme,
> Que le droit pour tout homme assumant d'être un homme.
> ....
> Le revolver n'a rien que puisse renier
> Un monsieur mal luné qu'on n'attendait que guère,
> Et le couteau semble à d'aucuns de bonne guerre,

S'il s'agit de quelque surprise prise mal.
Je suis nerveux, mon pouls ne bat pas très normal.
                    (T. III, p. 35.)

Verlaine tire sur Rimbaud un coup de revolver ; il le blesse,
très légèrement ; personne ne le saura ; mais il suit son ami dans
la rue ; il le menace encore ; il est arrêté, puis condamné le 8 août
(jugement confirmé le 27 août) à deux ans de prison ; l'application du régime cellulaire réduit la durée de la peine ; Verlaine
sort de prison en janvier 1875. Alors commencent pour lui des
années de vie incertaine et errante, pendant lesquelles il fait un
grand effort « pour revenir au vrai », selon le conseil que lui avait
fait parvenir, en ces temps-là, Victor Hugo.

Quelques mois avant sa mort, Verlaine a évoqué, de façon
précise et exacte, le souvenir émouvant de sa première rencontre avec Rimbaud (*Œuvres posthumes*, t. II, p. 275).

C'était... une vraie tête d'enfant, dodue et fraîche sur un grand corps
osseux et comme maladroit d'adolescent qui grandissait encore et de qui
la voix, très accentuée en ardennais, presque patoisante, avait ces hauts et
ces bas de la mue.

Il faudrait pouvoir reproduire ici le portrait maladroit, mais
bien expressif, que Verlaine dessina, quelques mois après, du singulier adolescent, alors dans sa dix-huitième année (il a été reproduit dans Donos, *Verlaine intime*, p. 82) : une figure d'enfant
qu'encadrent de grands cheveux tombants, une longue pipe
provocante ; — une silhouette drôle d'enfant de génie, bohème et
hanteur d'estaminets littéraires. Il rendait Verlaine et ses amis
tout ébaubis, en leur lisant ses vers, presque tous ses vers, car
déjà il avait écrit son *Bateau ivre*. Jamais on n'avait vu une
telle puissance verbale, une telle luxuriance d'imagination : des
sensations inouïes, des formes rythmiques et des expressions
toutes nouvelles. Il y avait, en tout cas, de quoi donner le coup
de foudre à un poète, comme l'était Verlaine, déjà lassé de
l'Académisme parnassien. Mais surtout Rimbaud était un *révolté*,
et c'est comme tel qu'il apparut d'abord à Verlaine et qu'il lui
plut ; il l'était par destination de sa nature, et il s'appliquait

à le bien paraître, à tout instant de sa vie et de sa conversation. La deuxième prose de la *Saison en Enfer*, écrite pendant le temps de l'amitié avec Verlaine, dessine sauvagement cette figure de révolté :

> Mauvais Sang. — J'ai de mes ancêtres gaulois l'œil bleu blanc, la cervelle étroite, et la maladresse dans la lutte. Je trouve mon habillement aussi barbare que le leur. Mais je ne beurre pas ma chevelure... D'eux j'ai : l'idolâtrie et l'amour du sacrilège ; — oh ! tous les vices, colère, luxure, — magnifique, la luxure, — surtout mensonge et paresse. J'ai horreur de tous les métiers. Maîtres et ouvriers, tous paysans, ignobles. La main à la plume vaut la main à charrue. — Quel siècle à mains ! — Je n'aurai jamais ma main...
> Je n'ai jamais été de ce peuple-ci ; je n'ai jamais été chrétien ; je suis de la race qui chantait dans le supplice ; je ne comprends pas les lois ; je n'ai pas le sens moral, je suis une brute... Quant au bonheur établi, domestique ou non... non, je ne peux pas. Je suis trop dissipé, trop faible. La vie fleurit par le travail, vieille vérité : moi, ma vie n'est pas assez pesante, elle s'envole et flotte loin au-dessus de l'action, ce cher point du monde.

La révolte de Rimbaud démolissait toutes les barrières qu'il croyait rencontrer comme des obstacles au libre jeu de son esprit : morale, gouvernement, conventions habituelles de vie, goûts littéraires à la mode, thèmes poétiques consacrés, formes anciennes ou actuelles du vers... La violence de son caractère et de ses propos était exaspérée quelquefois par la boisson à laquelle il se livrait, et qu'il supportait mal ; comme Verlaine, elle le rendait menaçant et dangereux pour de courts moments. Il effara vite la plupart de ceux qu'il rencontra dans les cafés où fréquentaient Verlaine et ses amis. On sentait bien qu'il n'était pas de ce monde de gens de lettres parisiens, bohèmes, mais bourgeois à leur façon, maniaques et routiniers. Il ne se prêta à cette vie de Paris que pour peu de temps ; il avait le goût de l'errance, du vagabondage ; et, plusieurs fois déjà, dès avant sa venue à Paris, ce goût l'avait lancé sur les routes. Bientôt, il n'y tint plus ; il fallut qu'il repartît ; Verlaine le suivit.

II. — « *Vagabonds* ».

> Nous ne sommes pas le troupeau.

Verlaine, par goût, eût été un sédentaire ; presque toute sa vie il le fut. Son départ avec Rimbaud fut comme un coup de passion, et, ainsi qu'il le dit plus tard, pour une fugue semblable :

> Un fier départ à la recherche de l'amour,
> Loin d'une vie aux platitudes résignée,
> ....fuite indignée
> En compagnie illustre et fraternelle vers
> Tous les points du physique et moral univers.
>
> (T. II, p. 98.)

Les amis de Verlaine ont souvent voulu, par la suite, expliquer ce départ, en disant la nécessité où le poète se trouva, au lendemain de la Commune, de quitter Paris. C'est là un souci d'avocat ; ce fut aussi un prétexte pour justifier la longue absence. Verlaine ne s'était point compromis pendant la Commune ; il resta de longs mois à Paris sans être inquiété ; et lorsqu'il partit, il ne se soucia guère de précautions ni de ménagements à garder. Dès la première étape, à Arras, Rimbaud et lui s'amusèrent à scandaliser les buveurs du buffet de la gare ; ils tinrent tapageusement de tels propos d'apaches qu'on alla chercher les gendarmes, qui, après les avoir conduits au commissariat de police, les réembarquèrent pour Paris. « Je sortais, dit Verlaine en contant cette petite aventure, d'être un peu communard, et j'avais le verbe passablement haut. » Ce ne sont point là gestes ni paroles de fuyard !

Verlaine et Rimbaud gagnèrent les « terres d'exil », bienveillantes alors à toutes les victimes de l'Empire et de la nouvelle République : Bruxelles d'abord, Londres ensuite. Ce fut le premier séjour d'Angleterre de Verlaine ; il devait y revenir sept ou huit fois par la suite, et y passer, au total, trois années environ de son existence. M. J. Aubry a étudié et conté fort diligemment ces séjours d'Angleterre, qui tiennent une grande place dans l'œuvre de Verlaine, encore que le poète n'ait guère été influencé réellement par la connaissance de la poésie et de la vie anglaises. Ce n'était pas cela qu'il venait chercher ! Il ne sortit guère, pour commencer, du milieu des réfugiés français, et des bars et musichalls, qui pouvaient l'entretenir dans ses habitudes parisiennes. Le premier séjour fut plutôt « léger » ; c'est Verlaine qui l'avoue.

> Entre autres blâmables excès,
> Je crois que nous bûmes de tout,

Depuis les plus grands vins français
Jusqu'à ce faro, jusqu'au stout,

En passant par les eaux-de-vie
Qu'on cite comme redoutables,
L'âme au septième ciel ravie,
Le corps, plus humble, sous les tables.

                              (T. II, p. 198.)

Pendant tous ces séjours successifs à Londres ou en Belgique,
Verlaine et Rimbaud, qui n'avaient point de ressources régulières,
vécurent des subsides que Mme Verlaine faisait passer à son fils.
E. Lepelletier calcule, je ne sais sur quelles données, que Verlaine
dépensa alors, à s'entretenir ainsi, lui et son ami, une bonne
partie du patrimoine familial : c'était, par avance et pour une
époque lointaine, ajouter quelques années de misère au dur chemin de croix que serait la fin de sa vie.

Le récit des faits, ou plutôt l'énumération des dates qui jalon-
nent l'histoire des relations de Verlaine et de Rimbaud, a bien
fait ressortir qu'à un certain moment la compagnie de Verlaine
pesa à Rimbaud. Le jeune ami chercha à s'affranchir ; et c'est
ce désir de liberté qui créa le drame à la suite duquel il se trouva
seul. Paterne Berrichon, son biographe, dont on ne saurait sus-
pecter ni l'information ni les bonnes intentions, rapporte à cette
époque quelques œuvres de Rimbaud où l'on voit passer des
figures de femmes ; cet entraînement nouveau aurait contribué
à lui faire paraître moins agréable sa vie d'orgueilleuse et singulière solitude. De la même époque sont aussi, ou du moins il le
semble, quelques vers amoureux de Verlaine : des vers adressés à
une jeune Anglaise... Mais on ne la connaît que par ces vers ; quel
est le départ à faire entre la réalité et la fiction poétique ?

Si l'on veut être assuré de savoir les vraies raisons que Verlaine et Rimbaud eurent de se déplaire, et, du même coup, l'espèce d'influence, que purent avoir d'abord, l'un sur l'autre, ces
deux poètes que les hasards de la vie avaient jetés l'un vers
l'autre, et étroitement unis pendant deux ans, il suffit d'ouvrir
la *Saison en Enfer* et de lire le premier poème des *Délires*. La
« Vierge folle » et l' « Époux infernal » s'y entretiennent ; et il

n'est pas difficile de reconnaître, sous une transposition de mots familière alors à Verlaine comme à Rimbaud, la vraie figure des parleurs de cet entretien fantastique. La « Vierge folle », c'est Verlaine, faible, incertain dans la conduite de sa vie et ses ambitions d'art ; l' « Époux infernal », c'est Rimbaud, dont le prestige inquiétant a séduit son compagnon, et qui dirige leur vie à tous deux suivant sa propre norme, mais sans jamais pouvoir élever le « pitoyable frère » jusqu'à l'incroyable idéal qu'il rêve.

Je suis, dit la Vierge folle, esclave de l'Époux infernal... Je suis veuve... — J'étais veuve... — mais oui, j'ai été bien sérieuse jadis, et je ne suis pas née pour devenir squelette. ! Lui était presque un enfant... Ses délicatesses mystérieuses m'avaient séduite. J'ai oublié tout mon devoir humain pour le suivre. Quelle vie ! La vraie vie est absente. Nous ne sommes pas un monde. Je vais où il va, il le faut. Et souvent il s'emporte contre moi, *moi, la pauvre âme*. Le Démon ! — C'est un Démon, vous savez, *ce n'est pas un homme*...

Mais que voulait-il avec mon existence terne et lâche ? Il ne me rendait pas meilleure, s'il ne me faisait pas mourir ! Tristement dépitée, je lui dis quelquefois : « Je te comprends ». Il haussait les épaules... Nous nous accordions. Bien émus, nous travaillions ensemble. Mais, après une pénétrante caresse, il disait : « Comme ça te paraîtra drôle, quand je n'y serai plus, ce par quoi tu as passé... Il faudra que je m'en aille, très loin, un jour. Puis il faut que j'en aide d'autres : c'est mon devoir...» Tout de suite je me pressentais, lui parti, en proie au vertige, précipitée dans l'ombre la plus affreuse : la mort. Je lui faisais promettre qu'il ne me lâcherait pas. Il me l'a faite vingt fois, cette promesse d'amant...

Par instants, j'oublie la pitié où je suis tombée : lui me rendra forte, nous voyagerons, nous chasserons dans les déserts, nous dormirons, sur les pavés des villes inconnues, sans soins, sans peines... J'ignore son idéal.... Je lui suis soumise. — Ah ! je suis folle ! Un jour peut-être il disparaîtra merveilleusement...

Ces phrases, coupées dans un développement abondant, pour faire connaître les pensées de la « Vierge folle », le rythme de ses plaintes, suffisent à bien faire comprendre l'espèce de détresse d'esprit qui saisit Verlaine, lors d'un abandon définitif. Ce n'était pas qu'un ami à perdre, c'était tout un idéal de vie et d'art qui s'évanouissait, la possibilité d'atteindre à une telle richesse de sensations, à une si prodigieuse exaltation de l'intelligence que tous les émois anciens, toutes les joies passées paraîtraient d'écœurantes banalités.

A chacune de leurs querelles, Rimbaud, par contre, s'aperce-

vait de « l'infirmité » du « pitoyable frère » : jamais celui-ci ne
pourrait s'élever jusqu'où il fallait monter ; il avait trop d'inquiétudes, trop de regrets de sa vie d'avant.

> Presque chaque nuit, aussitôt endormi, le pauvre frère se levait, la bouche
> pourrie, les yeux arrachés — tel qu'il se rêvait ! — et me tirait dans la salle
> en hurlant son songe de chagrin idiot ! J'avais en effet, en toute sincérité
> d'esprit, pris l'engagement de le rendre à son état primitif de fils du Soleil,
> et nous errions, nourris du vin des cavernes et du biscuit de la route, moi
> pressé de trouver le lieu et la formule. (*Illuminations*, Vagabonds.)

Peu importent les origines de la querelle qui aboutit à la séparation, et, quelques jours après, au drame ; — que ce soit, comme
le croit E. Lepelletier, le désir de Verlaine de revenir vers sa
femme, ou, comme le conte E. Delahaye, l'achat d'un poisson
insuffisamment frais ! Il y avait, en réalité, entre les deux poètes,
après les semaines d'enthousiasme, une grande mésentente. Verlaine se satisfaisait de cette bohème, abandonnée au plaisir et à
l'alcool ; au moins pouvait-il s'étourdir ainsi et oublier les appels
de sa vie passée, qu'il entendait parfois. Rimbaud jugea vite
cette existence lassante, banale ; évidemment il était presque
au bout d'une crise qui allait bouleverser ses sentiments ;
surtout, il avait des ambitions que jamais il ne satisferait,
qu'il n'arriverait jamais peut-être à formuler clairement, mais
qui les éparaient de son ami trop platement jouisseur et insoucieux.

> Oh ! je serai celui-là qui sera Dieu !

fait dire Verlaine, dans son *Crimen amoris*, au « plus beau » d'entre
les mauvais anges, un ange de seize ans, imaginé, comme l'« Époux
infernal », d'après l'image de Rimbaud... Le dissentiment était
profond ; on n'aurait pu s'illusionner que quelque temps encore ;
déjà Rimbaud était las de Verlaine qu'il voyait trop inférieur à
son rêve de toute-puissance ; et, d'autre part, la maîtrise de
Rimbaud sur Verlaine avait beau être grande, elle avait des
limites.

III. — *Poétique nouvelle.*

> Un coup de doigt sur le tambourin
> décharge tous les sons et commence la
> nouvelle harmonie.   RIMBAUD.

Une pièce recueillie dans *Jadis et Naguère*, et intitulée *Le Poète et la Muse,*

> La Chambre as-tu gardé leurs spectres ridicules...

évoque en des mots mystérieux le souvenir de Rimbaud ; Verlaine donne à son ami, au titre de cette poésie, le vrai nom de ce qu'il fut surtout pour lui : la Muse, — un inspirateur, un éveilleur de curiosités et de desseins. D'abord, c'était Rimbaud qui était venu à Verlaine, l'élisant comme poète préféré parmi les contemporains, parce qu'il avait vu dans son œuvre quelques nouveautés et des audaces rythmiques qui lui plaisaient ; mais, vite, il jugea ce maître trop timide. Son ambition, à lui, était si haute ! Créer une langue poétique nouvelle, et, du même coup, puisque c'est même chose en réalité, créer une nouvelle manière de voir et de sentir la réalité ; la poésie, débarrassée de toutes entraves, dans sa forme comme dans sa matière, ne serait plus que l'immédiate traduction de sensations ultra-modernes, ou plutôt de singuliers complexes de sensations emmêlées les unes aux autres. Des « rythmes instinctifs », « de l'âme pour l'âme », « un verbe poétique accessible, un jour ou l'autre, à tous les sens », une langue « résumant tout, parfums, sons, couleurs, de la pensée », tel était le visible dessein de Rimbaud ; il le dit bien clairement dans son *Alchimie du verbe* (*Saison en Enfer*). Aussi avait-il commencé par aimer, en manière de protestation, la littérature qui n'était point littéraire, les formes rudimentaires de l'expression, « romans de nos aïeules, contes de fées, petits livres de l'enfance, opéras vieux, refrains niais, rythmes naïfs » ; puis il « inventa la couleur des voyelles » ; il « régla la forme et le mouvement de chaque consonne ». Mais ce n'était, tout cela, dans sa pensée, qu'un début : « la vieillerie poétique avait une bonne part dans mon alchimie du verbe » :

Rimbaud ne crut trouver le vrai chemin que quand il se décida à faire de « l'hallucination simple » le but même et la raison d'être de la poésie, quand aux « sophismes magiques » de l'esprit il fit correspondre « l'hallucination des mots ». « Je finis, dit-il, par trouver sacré le désordre de mon esprit... Je devins un opéra fabuleux. » Il arriva alors « aux confins de la Cimmérie, patrie de l'ombre et des tourbillons » ; la vie ordinaire, il la voyait pleine d'*autres* vies ; les êtres humains ou les animaux lui apparaissaient avec les figures de ce qu'ils n'étaient point... Il avait désormais des yeux de voyant.

Verlaine s'engagea sur ce chemin. — Traduire des sensations, non plus des idées et des sentiments, cela lui agréait assez ; il s'y était quelquefois essayé ; mais ses sensations ne furent point assez rares, au gré de Rimbaud. — Mépriser les rythmes connus, et ranimer les vieux airs des chansons populaires, les refrains des romances, où les mots n'ont guère de sens : cela lui parut également une tentative à faire. — Il s'essaya même à l'hallucination; mais ses hallucinations sont sages, ordonnées, presque claires ; elles sont rares d'ailleurs dans son œuvre, et moins des hallucinations que des rêves singuliers ou de légères griseries, au sens vrai du mot, qui font trembler les images perçues et brouillent les lignes. Il n'y avait rien en lui du puissant et tumultueux créateur d'images que fut Rimbaud ; bien vite, il dut se lasser de cette influence, parce qu'il ne pouvait accompagner sa « Muse » aussi loin qu'il aurait fallu pour ne pas être méprisé par elle.

Il ne le suivit pas non plus bien loin dans les essais qui devaient faire succéder le vers libre au vers traditionnel. C'est Rimbaud qui a écrit les premiers vers libres ; on ne les a publiés que bien longtemps après, en 1888, dans *La Vogue*, et ils ouvrirent alors la série des expériences poétiques, qui agréèrent le plus aux poètes symbolistes. Mais Rimbaud les avait écrits une quinzaine d'années auparavant ; et c'était chez lui, cette grande nouveauté, une suite toute naturelle de ses théories. Verlaine ne fit que quelques rapides incursions dans ce domaine découvert ; il se satisfit vite avec quelques libertés métriques et surtout avec des fantaisies de rimes et de coupes. C'était peu de

chose ; mais il en tira de grands effets ; et, dans l'ignorance où
l'on resta longtemps de l'œuvre de Rimbaud, il put paraître un
novateur plus audacieux qu'il ne l'était en réalité.

Le nouvel idéal de Verlaine, excité par le voisinage de l'idéal
de Rimbaud, ou plutôt des divers idéals de Rimbaud, ce fut d'exprimer, dans une forme très libérée déjà, sinon vraiment libre,
non pas les fantasmagories des *Illuminations* ou de la *Saison
en Enfer*, mais des sentiments et des sensations très simples :
l'absence de toute espèce d'enjolivement et leur ingénuité, savou-
reuse ou cynique selon l'occasion, devaient suffire à assurer leur
originalité. Ce fut en ce temps-là que Verlaine s'habitua à préférer aux autres poètes du xixe siècle Mme Desbordes-Valmore ;
et il nous avoue lui-même que cette admiration ne fut point spon-
tanée ; Rimbaud, presque de force, lui insuffla l'enthousiasme
nécessaire ; docile, Verlaine mit cette douce et sincère femme,
ce poète facile et touchant parmi les « poètes maudits » ; il est
vrai que ces mots n'ont point le sens satanique qu'on pourrait
supposer, et Verlaine, qui se souvenait d'avoir lu cette expression
dans Baudelaire, ne l'employa que pour signifier les poètes
méconnus, ceux que le grand public s'obstine à ignorer.

A cette période de l'influence de Rimbaud, à ce goût du nouveau chez Verlaine correspondent le petit recueil des *Romances
sans paroles*, publié en 1874, et, malgré sa date tardive (1884), une
partie du recueil de *Jadis et Naguère*. Les pièces qui composent
les *Romances sans paroles* ont été, pour la plupart, composées du
printemps à l'automne 1872; quelques autres pièces sont datées
d'avril à juillet 1873 ; elles se rapportent à des souvenirs d'Angleterre. Dans *Jadis et Naguère* le poète a rassemblé des pièces
de dates fort diverses ; quelques-unes ont été écrites |avant 1871,
plusieurs sont de l'époque des relations de Verlaine et de Rimbaud,
et beaucoup datent du temps de la prison qui mit fin à ces relations. Il est impossible, en fait, de séparer les deux livres dans un
examen chronologique de l'œuvre de Verlaine.

Que ce soit à cette époque que Verlaine ait conçu sa nouvelle
poétique, un certain nombre de passages de sa correspondance
en font foi. Le 16 mai 1873, Verlaine parle à Edmond Lepelletier

d'une « préface aux *Vaincus* (un recueil qu'il projetait alors), où, dit-il, je tombe *tous les vers*, y compris les miens et où j'explique des idées que je crois bonnes ». (*Corresp.*, t. I, p. 98.)

> Je caresse, continue-t-il, l'idée de faire, — dès que ma tête sera bien reconnue, — un livre de poèmes (dans le sens *suivi* du mot), poèmes didactiques si tu veux, d'où l'homme sera complètement banni. Des paysages, des choses, malice des choses, bonté, etc., etc., des choses. — Voici quelques titres : *La Vie du Grenier*. — *Sous l'eau*. — *L'Ile*. — Chaque poème serait de 300 ou 400 vers. — Les vers seront d'après un système auquel je vais arriver. Ça sera très musical, sans puérilités à la Poë (quel naïf que ce « malin » ! Je t'en causerai un autre jour, car je l'ai *tout lu* en english) et aussi pittoresque que possible. *La Vie du Grenier*, du (?) Rembrandt ; *Sous l'eau*, une vraie chanson d'ondine ; *L'Ile*, un grand tableau de fleurs, etc., etc. Ne ris pas avant de connaître mon système : c'est peut-être une idée chouette que j'ai là.

Et quelques jours après, le 23 mai 1873, Verlaine écrit ceci, à propos du manuscrit des *Romances sans paroles* :

> Je n'en suis pas mécontent, bien que ce soit encore bien en deçà de ce que je veux faire. Je ne veux plus que l'effort se fasse sentir et en arrive avec de tout autres procédés, — une fois mon système bien établi dans ma tête, — à la facilité de Glatigny, sans naturellement sa banalité. Je suis las des « crottes », des vers « chiés » comme en pleurant, autant que des tartines à la Lamartine... Bref, je réfléchis très sérieusement et bien modestement à une réforme dont la préface des *Vaincus* contiendra la poétique.

> (*Corresp.*, t. I, p. 103.)

Cette préface, Verlaine, vraisemblablement, ne l'écrivit point, mais il est probable que l'essentiel en a passé dans la suite de stances auxquelles il donna le titre d'*Art Poétique*. Elles parurent en 1884 dans *Jadis et Naguère* ; et c'est à partir de ce moment-là seulement qu'elles eurent leur effet dans les cénacles poétiques ; mais elles étaient vieilles alors de dix ans. Verlaine les composa, au plus tard, en avril 1874, dans le temps même où il publiait les *Romances sans paroles*.

Ces vers sont dans toutes les mémoires ; les anthologies scolaires ont commencé à les recueillir ; mais ils sont d'une telle importance dans l'œuvre de Verlaine et dans l'histoire du symbolisme français, que l'on ne peut se dispenser de les relire, en les traitant comme un texte classique dont il est convenable de faire le commentaire.

De la musique avant toute chose,
Et pour cela préfère l'Impair,
Plus vague et plus soluble dans l'air,
Sans rien en lui qui pèse ou qui pose.

Il faut aussi que tu n'ailles point
Choisir tes mots sans quelque méprise :
Rien de plus cher que la chanson grise
Où l'Indécis au Précis se joint.

. . . .

Car nous voulons la Nuance encor,
Pas la Couleur, rien que la nuance !
Oh ! la nuance seule fiance
Le rêve au rêve et la flûte au cor !

Fuis du plus loin la Pointe assassine,
L'Esprit cruel et le rire impur,
Qui font pleurer les yeux de l'Azur,
Et tout cet ail de basse cuisine !

Prends l'éloquence et tords-lui son cou !
Tu feras bien, en train d'énergie,
De rendre un peu la Rime assagie.
Si l'on n'y veille, elle ira jusqu'où ?

O qui dira les torts de la Rime !
Quel enfant sourd ou quel nègre fou
Nous a forgé ce bijou d'un sou
Qui sonne creux et faux sous la lime ?

De la musique encore et toujours !

. . . .

Que ton vers soit la bonne aventure
Éparse au vent crispé du matin
Qui va fleurant la menthe et le thym...
Et tout le reste est littérature.

Et cela veut dire, sommairement : le vers doit être, avant tout,
de la musique, une harmonie de sons qui font rêver ; tout ce qui,
dans le vers, n'est pas musique doit perdre de son importance, et,
peu à peu, s'effacer. La rime est une musique insuffisante et une
contrainte mauvaise ; on pourra la réduire à l'assonance, bonne
pour marquer le rythme, et point gênante. Les rythmes impairs
sont préférables ; ce n'est pas qu'ils aient en eux une vertu spéciale ; mais leur harmonie inégale surprend et délasse des rythmes
habituels ; c'est comme une musique nouvelle, plus propre que

l'ancienne à des thèmes nouveaux. L'éloquence parnassienne ou romantique est condamnée, sans phrases ; elle ordonne le sentiment ou la pensée dans des cadres trop rigides et toujours les mêmes ; elle oblige à choisir les thèmes qui, seuls, conviennent à ces cadres. Si l'on veut traduire l'imprécis, la nuance, soit tristesses confidentielles, soit visions d'art, soit simples suggestions ou sensations, on n'en a que faire ; un développement incertain et des mots vagues, des groupements de sons inattendus et évocateurs, voilà ce qui convient. Il ne faut qu'atteindre, par quelque endroit, la sensibilité du lecteur, et que ce contact mystérieux permette l'afflux en lui de toute la sensibilité du poète. Rimbaud dit admirablement ce secret dans les *Illuminations* : « Un coup de ton doigt sur le tambour décharge tous les sons et commence la nouvelle harmonie. » Tout l'art, c'est de savoir où donner ce coup de doigt, léger et habile, qui déclenchera un monde de vibrations.

IV. — *Les* Romances sans paroles.

Les *Romances sans paroles* sont la première application de cette poétique nouvelle. Verlaine ne les a publiées qu'en 1874, mais dès octobre 1872, au plein de ses relations avec Rimbaud, bien avant le drame de Bruxelles, il était prêt à les publier. C'était, dès alors, un volume de 400 vers, à peu près exactement celui que nous avons en mains aujourd'hui. Verlaine ne trouva point d'imprimeur ; Lemerre, si accueillant autrefois, lui faisait mauvaise figure. Edm. Lepelletier se chargea d'éditer le volume, à bon compte, en province. Verlaine lui adressa le manuscrit en mai 1873. Ce manuscrit portait bravement une dédicace à Rimbaud, et Verlaine tenait beaucoup à cette dédicace. Enfin le livre parut obscurément, à Sens, en mars 1874, pendant le séjour de Verlaine en prison ; Lepelletier crut devoir supprimer la dédicace que les douloureux événements qui s'étaient succédé dans l'intervalle rendaient bien inutilement tapageuse.

Romances sans paroles... c'était un titre emprunté à un

musicien, à Mendelssohn ; et le sens en paraît bien significatif,
comme celui du mot *ariette* que Verlaine employa dans le même
dessein. Le poète voulait définir ainsi des mélodies de mots où les
mots comptent pour très peu, où la mélodie est vraiment tout :
quelque chose comme ces vieilles chansons populaires, qu'on
n'aime point pour ce qu'elles disent, mais précisément pour ce
qu'elles ne disent pas ; elles évoquent des choses très anciennes,
des sensations ou des images, qui, gaies ou tristes, restent confuses ; leur charme est de rester confuses ; « l'indécis s'y joint
au précis » ; elles sont « de la musique avant toute chose ». Les
meilleures des pièces des *Romances sans paroles*, les plus conformes à la poétique nouvelle, sont d'ailleurs celles qu'il a été le
plus facile de mettre en musique.

Les *Romances sans paroles* contiennent vingt et une pièces, en
tout 470 vers. Si l'on passe en revue les divers thèmes de ce petit
recueil, en les classant suivant leur plus ou moins de nouveauté
dans l'œuvre de Verlaine, voici assez exactement ceux que l'on
rencontre successivement. D'abord des thèmes purement
confidentiels ; les pièces du livre qui avait failli s'appeler *La
Mauvaise Chanson*, inspirées par le grand désastre de la vie
intime ; puis quelques souvenirs, ou plutôt quelques visions de
femmes, à peine entr'aperçues : une jeune Anglaise aimée, une
voyageuse rencontrée ; enfin une allusion à Rimbaud, à travers
une claire transposition.

> Il faut, voyez-vous, nous pardonner les choses.
> De cette façon nous serons bien heureuses...

Dans ces pièces intimes, il n'y a point du tout de stylisation ;
la pensée et la sensation s'expriment directement et de la façon
la plus simple qui soit :

> O! triste, triste était mon âme
> A cause, à cause d'une femme.
>
> Je ne m'en suis pas consolé
> Bien que mon cœur s'en soit allé.

Plus originaux, et plus caractéristiques du recueil sont un certain nombre de paysages tristes et d'intérieurs ; non pas de pures descriptions, mais des tableaux où paraît trembler un reflet de l'âme du poète, ou bien qui s'accordent tout naturellement avec un état d'âme teinté des mêmes couleurs que le paysage. Des pièces de ce genre, nous en avons déjà vu dans les recueils antérieurs, mais elles étaient plus rares, moins achevées. C'est dans les *Romances sans paroles*, — et l'on ne songe point à s'étonner de l'y rencontrer, — que se lit la plus verlainienne des poésies de Verlaine, celle du moins qui, dans les anthologies et auprès du grand public, est comme l'échantillon-type de la poésie et de la sensibilité verlainiennes :

> Il pleure dans mon cœur
> Comme il pleut sur la ville.
> Quelle est cette langueur
> Qui pénètre mon cœur ?
>
> O bruit doux de la pluie
> Par terre et sur les toits !
> Pour un cœur qui s'ennuie,
> Ô le chant de la pluie !
>
> Il pleure sans raison
> Dans ce cœur qui s'écœure.
> Quoi ! nulle trahison ?
> Ce deuil est sans raison.
>
> C'est bien la pire peine
> De ne savoir pourquoi,
> Sans amour et sans haine,
> Mon cœur a tant de peine !

Il y a de grandes chances pour que cette impression ait accompagné, chez Verlaine, le souvenir de sa femme ; un passage de la *Correspondance* (t. I, p. 48, octobre 1872) nous autorise à le croire : « Il pleut, dit le poète, il pleut à fendre certain cœur que tu connais moins, hélas! que moi ! »; mais le charme de cette poésie, si simple, sans effets, sans mots, vient justement de ce que l'impression du poète, quoique chargée évidemment de tristesses anciennes, ne s'accroche à rien de précis dans la réalité, hormis à la sensation de la pluie qui tombe.

Voici maintenant une nouveauté dans l'œuvre de Verlaine :
des paysages pittoresques, belges et anglais, belges surtout. Ce
ne sont pas, à vrai dire, des paysages décrits, ou même des interprétations sentimentales de paysages. Ce sont des agrégats de
sensations rares, aiguës, qui se heurtent les unes aux autres, et
que le poète plaque toutes ensemble : une poésie très impression-
niste, au sens que ce mot allait avoir, quinze ans après, en peinture.

CHARLEROI

. . . .

Quoi donc se sent ?
L'avoine siffle.
Un buisson gifle
L'œil au passant.

Plutôt des bouges
Que des maisons.
Quels horizons
De forges rouges !

On sent donc quoi ?
Des gares tonnent.
Les yeux s'étonnent.
Où Charleroi ?

Parfums sinistres !
Qu'est-ce que c'est ?
Quoi bruissait
Comme des sistres.

Sites brutaux ?
Oh ! votre haleine,
Sueur humaine,
Cris des métaux ?

. . . .

Et l'on peut noter enfin, comme effort suprême de la nouvelle
poétique de Verlaine, comme marque, très probablement, de
la plus grande influence de Rimbaud, une petite pièce qui d'abord
(voir *Corresp.*, t. I, p. 295) dut s'appeler *Escarpolette*.

Je devine, à travers un murmure,
Le contour subtil des voix anciennes
Et dans les lueurs musiciennes,
Amour pâle, une aurore future !

Et mon âme et mon cœur en délires
Ne sont plus qu'une espèce d'œil double
Où tremblote à travers un jour trouble
L'ariette, hélas ! de toutes lyres !

O ! mourir de cette mort seulette
Que s'en vont, cher amour, qui t'épeures,
Balançant jeunes et vieilles heures !
O ! mourir de cette escarpolette.

Les transpositions et le brouillement des sensations sont ici
fort subtils ; tout s'emmêle : la venue de la nuit et celle du souvenir, les sensations de lignes et de sons, de lueur et de musique,
l'espérance et le désir de mourir ; c'est comme un lent balan-
cement de la pensée, entre le passé et le futur, entre les vieilles
et les jeunes heures ; la sensation présente apparaît, pour ainsi
dire, à la seconde où le mouvement d'escarpolette est le plus
rapide ; rien d'étonnant qu'elle ne puisse se fixer ; tout de suite
la pensée est ramenée, une fois encore, vers les deux extrêmes de
sa course, le son des voix anciennes et l'aurore future.

Mais la principale originalité du recueil est dans ses nouveautés
rythmiques. Ici Verlaine semble avoir été fort docile à l'influence
de Rimbaud. Il lui était difficile de changer sa manière de voir
le monde extérieur ou de saisir les idées ou les images qui pas-
saient, pour les muer en des visions fantasmagoriques ; il lui
était plus facile de diversifier et de renouveler ses rythmes.

Les *Romances sans paroles* ont vingt et une pièces, — vingt-
trois en réalité, car deux sont comme dédoublées : ce sont vingt-
trois systèmes de strophes différents, vingt-trois combinaisons
de rythmes, dont aucune n'est tout à fait semblable à aucune
autre. Des distiques, des tercets, des quatrains, des quintils, des
sixains ; des quatrains surtout. Vers de 12 syllabes, de 11 syllabes, de 10, de 9, de 8, de 7, de 6, de 5, de 4. Des pièces courtes,
des pièces longues... C'est déjà une singulière variété ; mais elle
n'a pas suffi à Verlaine. La plupart de ces rythmes ont été employés au XIXe siècle, retrouvés et rénovés plutôt que créés ; des
audaces nouvelles les transforment. Verlaine écrit des séries de
strophes à rime uniquement masculine ou bien féminine, des

séquences de strophes où la stance masculine alterne avec la
féminine. Il abandonne même, au besoin, la rime pour se contenter de l'assonance ; il a des espèces de contre-rimes, des fausses
rimes, vraies pour l'oreille, ainsi que dans les chansons populaires, fausses tout à fait pour les yeux :

> C'est le chien de Jean de *Nivelle*,
> Qui mord sous l'œil même du GUET,
> Le chat de la mère *Michel* ;
> François-les-bas-bleus s'en ÉGAIE.

Ailleurs des rimes restent sans échos ; ainsi la deuxième rime
de chaque strophe dans *Il pleure sur mon cœur...* que j'ai cité un
peu plus haut.

Tout cela témoigne bien de l'intention de faire des *Romances
sans paroles* une sorte d'album de spécimens de tous les meilleurs
rythmes poétiques, un cahier d'exercices sur des airs nouveaux.
C'était créer là une tradition ; et nous allons avoir à suivre son
développement dans l'œuvre même de Verlaine. Cet effort pour
libérer le vers de la plupart de ses entraves, si bien affirmé dans
l'*Art poétique*, et si curieusement réussi dans les *Romances sans
paroles*, est, je crois, ce qui frappa le plus la jeune génération de
poètes qui, quinze ans après, ouvrirent le petit recueil de l'année
1874, si peu lu et si peu admiré au temps qu'il parut.

CHAPITRE VII

PRISON ET CONVERSION. — VERLAINE POÈTE CATHOLIQUE
SAGESSE **(1881)**

I. — *Prison et conversion.*

> Et six ans passés à plaire à Dieu (t. II, p. 217).

Le 10 juillet 1873, — il vient de blesser Rimbaud, — Verlaine
est conduit à l'Amigo, un poste de police de Bruxelles ; de là, on
l'envoie à la prison des Petits Carmes, où il reste près de trois
mois. En octobre, il demande, pour diminuer le temps de sa détention, à être soumis au régime cellulaire ; il est transféré à Mons.
Il en sort le 16 janvier 1875, après un peu plus de dix-huit mois
de prison. Le même jour, il est conduit à la frontière française.
Alors commence, dans sa vie, bien traversée d'épreuves, une
longue période d'efforts et de sagesse.

> Un projet de mon âge mûr
> Me tint six ans l'âme ravie,
> C'était, d'après un plan bien sûr,
> De réédifier ma vie.
>
> (T. II, p. 241.)

« J'ai été extrêmement sérieux de 1875 à 1880 », aimait-il à
répéter plus tard (*Corresp.*, t. II, p. 61). Pendant ces années, il
fut professeur libre, d'abord en Angleterre, puis dans un collège
ecclésiastique à Rethel ; ensuite, il essaya de se faire paysan ;
il mit quelques fonds dans une entreprise de culture, qui ne
réussit pas, et qui hâta la venue de la grande misère ; il connut
alors et aima d'une amitié passionnée, qu'il s'appliqua à croire
paternelle, un grand garçon de la campagne, Lucien Létinois,
qui lui a inspiré de bien beaux vers (*Amour*).

En 1881, Verlaine publie *Sagesse*. C'est comme s'il mettait un
sceau sur ces années de vie, trop sages, trop ternes ; il est « bondé
de convenance et soûl de chasteté » (t. III, p. 21) ; il se lasse d'être

> Une sorte à présent d'idyllique engourdi,
> Qui surveille le ciel bête par la fenêtre
> Ouverte aux yeux matois du démon de midi.
>
> (**T**. I, p. 204.)

Le Démon, qui entend sonner le midi du poète, et qui voit
bâiller cette fenêtre, l'ouvre toute grande et entre dans la
demeure. Alors Verlaine vient à Paris ; l'alcool, la femme et
la bohème le reprennent.

Le poète a conté dans *Mes prisons* (1893) l'histoire de ses mois
de prison et la crise de catholicisme qui permit les six années de
vie chaste, modeste et chrétienne. Ce récit est fort tardif, écrit
en un style souvent bien filandreux ; les événements d'autrefois,
vieux déjà de vingt ans, s'y transmuent singulièrement grâce
à de nouvelles habitudes de penser et d'écrire. Il vaut mieux,
pour être sûrement informé, lire surtout les poésies que Verlaine
écrivit alors et les quelques lettres qu'on a conservées de cette
période.

Il apparaît bien nettement, d'abord, que la prison fut moins
dure à Verlaine qu'elle n'aurait pu l'être, moins dure qu'elle ne
l'aurait été pour un autre condamné, qui n'aurait point eu l'argent nécessaire à payer la « mise à la pistole », et qui n'aurait pas
pu, comme lui, se réclamer d'illustres amitiés parisiennes. L'aumônier fut vite bienveillant, le directeur courtois ; le poète eut
de grandes facilités ; à la fin, ces trois hommes formèrent dans
la prison une sorte de petite société littéraire ; on passait des
livres à ce rare détenu, on piochait ensemble ses classiques, on
se réunissait pour des lectures communes !

Ce séjour en prison a inspiré à Verlaine quelques poésies. Il ne
les a publiées que très tard, dans *Parallèlement* (1889), à une époque où, sa légende étant bien établie, le fait d'avoir connu la vie
du prisonnier n'était pour lui qu'un surcroît de gloire. *Impression*

fausse (t. II, p. 148) dit les menues impressions du premier soir de détention :

> Dame souris trotte
> Noire dans le gris du soir,
> Dame souris trotte
> Grise dans le noir.
>
> On sonne la cloche :
> Dormez, les bons prisonniers,
> On sonne la cloche :
> Faut que vous dormiez.
>
> . . . .
>
> Le grand clair de lune !
> On ronfle ferme à côté,
> Le grand clair de lune
> En réalité !
>
> Un nuage passe,
> Il fait noir comme en un four,
> Un nuage passe :
> Tiens, le petit jour !

Autre (t. II, p. 150, et *Corresp.*, t. I, p. 130) évoque « le cirque effaré » des prévenus tournant silencieusement dans les préaux :

> La cour se fleurit de souci
> Comme le front
> De tous ceux-ci
> Qui vont en rond
> En flageolant sur leur fémur
> Débilité
> Le long du mur
> Fou de clarté.
>
> . . . .
>
> Ils vont ! et leurs pauvres souliers
> Font un bruit sec,
> Humiliés,
> La pipe au bec.
> Pas un mot ou bien le cachot,
> Pas un soupir.
> Il fait si chaud
> Qu'on croit mourir.
>
> . . . .

Allons, frères, bons vieux voleurs,
        Doux vagabonds,
        Filous en fleurs,
    Mes chers, mes bons,
Fumons philosophiquement,
        Promenons-nous
        Paisiblement :
    Rien faire est doux.

Réversibilité (t. II, p. 152, et *Corresp.*, t. I, p. 123) est des premiers temps du séjour dans la prison cellulaire de Mons.

Entends les pompes qui font
        Le cri des chats.
Des sifflets viennent et vont
        Comme en pourchas.
Ah ! dans ces tristes décors
Les Déjàs sont les Encors !

. . . .

Quels rêves épouvantés,
        Vous, grands murs blancs !
Que de sanglots répétés,
        Fous ou dolents !
Ah ! dans ces piteux retraits
Les Toujours sont les Jamais !

Ce sont, on le voit, de petits poèmes, écrits selon le système
des *Romances sans paroles*, alors toutes prêtes pour l'impression :
de brèves notes qui fixent de menues sensations et traduisent
simplement, mais de façon confuse, des émotions très indécises ;
les rythmes sont volontiers impairs.

Le temps passa vite. Verlaine finit par aimer sa prison. Du
moins, il le crut et il le dit dans une pièce composée peu de
temps après sa libération (t. II, p. 8, et *Corresp.*, t. I, p. 221).

J'ai naguère habité le meilleur des châteaux.
. . . .
Une chambre bien close, une table, une chaise,
Un lit strict où l'on pût dormir juste à son aise,
Du jour suffisamment et de l'espace assez,
Tel fut mon lot durant les longs mois là passés.
. . . .
Maintenant que voici le monde de retour,
Ah ! vraiment j'ai regret aux deux ans dans la tour !
. . . .

> Château, château magique où mon âme s'est faite,
> Frais séjour où se vint apaiser la tempête
> De ma raison allant à vau-l'eau dans mon sang,
> . . . .
>
> O sois béni, château d'où me voilà sorti,
> Prêt à la vie, armé de douceur et nanti
> De la Foi.

La grande affaire de ce temps de prison et la raison pour laquelle Verlaine en conservait un souvenir si attendri, ce fut en
effet sa « conversion ». Il l'a contée longuement dans *Mes Prisons*
comme une espèce de coup brutal et miraculeux ; on croit recommencer la lecture de la page où l'auteur du *Génie du Christianisme* décrit les voies de son retour à la foi : « J'ai pleuré et j'ai
cru »... Une heure ou deux après avoir appris le jugement qui
accordait à sa femme la séparation, Verlaine fait appeler l'aumônier et demande un catéchisme. « Il me donna aussitôt celui de
persévérance de Mgr Gaume » (t. IV, p. 410).

Une vraie bibliothèque que ce livre! *Le Catéchisme de persévérance ou Exposé de la religion depuis l'origine du monde jusqu'à
nos jours*, de J.-J. Gaume s'étendait tout le long de huit gros
volumes in-octavo. Paru pour la première fois en 1838, il avait
été déjà souvent réédité ; on le réimprimait encore il y a quelques
années. Ce fut, dans le second tiers du xixe siècle, un livre de
choix pour les conversions d'intellectuels : Flaubert n'a pas manqué de le mettre aux mains de Bouvard, au temps où celui-ci,
en compagnie de Pécuchet, tâche de s'initier à la foi et aux pratiques religieuses ; l'abbé Jeufroy le lui « avait ordonné » pour
triompher des dernières résistances de son esprit. Mais Bouvard
fut tellement « dégoûté » par cette lecture qu'il retomba dans ses
doutes. Verlaine s'est affligé, plus tard, de cette « laide boutade »
(*Œuvres posth.*, t. II, p. 110) ; sur le moment, il partagea les sentiments de Bouvard ; « l'art déplorable » de Mgr Gaume, sa « syntaxe à peine en vie », ses « preuves assez médiocres »rebutèrent
le poète malgré sa grande bonne volonté. L'aumônier fit la part
du feu ; il permit que ce pénitent, qui devait lui faire honneur,
sautât tous les chapitres qui précédaient celui de l'Eucharistie.

La lecture de cette dernière « centaine de pages » déclencha le miracle, « un certain petit matin de juin (1874) ».

Je ne sais quoi ou Qui me souleva, soudain, me jeta hors de mon lit, sans que je pusse prendre le temps de m'habiller et me prosterna en larmes, en sanglots, aux pieds du Crucifix... Je croyais, je voyais. Il me semblait que je savais, j'étais illuminé. Je fusse allé au martyre pour de bon, — et j'avais d'immenses repentirs. (T. IV, p. 412.)

Il fallut que l'aumônier, sceptique, habitué à des conversions de prison, menteuses ou bien éphémères, calmât son pénitent et lui demandât un « petit crédit » avant de le faire rentrer, par les sacrements, dans la famille chrétienne depuis bien longtemps désertée.

La réalité, telle qu'on peut l'entrevoir à travers les quelques renseignements sûrs qui sont actuellement produits au jour, est évidemment moins simple. Il y eut une longue période de préparation, des signes prémonitoires. Verlaine avait déjà fait dix mois de prison, dont sept de cellule ; les règlements des prisons belges imposaient aux détenus des pratiques religieuses, le Bene dicite et les Grâces aux repas, la messe chantée du dimanche - partout le crucifix, jusque dans les cellules ; puis les visites de l'aumônier... « Pratiquez d'abord », avait dit l'abbé Jeufroy à Bouvard et Pécuchet qui voulaient obtenir la foi ; et ils « pratiquèrent » quelque temps avant d'être admis à la lecture du *Catéchisme* de Gaume. Verlaine « pratiqua », sans croire ; sans croire aussi, il composa des poésies religieuses. Dès novembre 1873, à peine arrivé à Mons, il s'amusait à rythmer des *Cantiques à Marie* (*Corresp.*, t. I, p. 121 et 124), dont il parle fort légèrement comme d'un exercice purement littéraire, « d'après le Système » de sa poétique nouvelle.

Ces pratiques, ces lectures, les influences de la prison et du malheur, tout cela prépara une période de crise et d'émoi religieux, qui va du mois de mai ou du mois de juin jusqu'à la fin du mois d'août 1874 : trois ou quatre mois. C'est seulement le 15 août 1874, le jour de l'Assomption, que Verlaine, après un long temps de retraite imposée, fut reçu à la table de commu-

nion ; et c'est de ce temps de retraite et d'attente émue, ou bien
de jours qui suivirent immédiatement, que datent la plupart
des beaux poèmes pieux de *Sagesse* : les dix sonnets au Christ
de la seconde partie sont datés, tout primitivement, sur le manuscrit, du 10 août 1874. Le 8 septembre, Verlaine les envoya à son
ami Le pelletier (*Corresp.*, t. I, p. 140 et suiv.), en les faisant
suivre de ces lignes :

> Et c'est absolument *senti*, je t'assure. Il faut avoir passé par tout ce que
> j'ai vu et souffert, depuis trois ans, humiliations, dégoûts, — et le reste, —
> pour sentir tout ce qu'a d'admirablement consolant, raisonnablement logique,
> cette religion si terrible et si douce. — Ah ! terrible, oui ! Mais l'homme est
> si mauvais, si vraiment *déchu* et puni par sa seule naissance ! — Je ne parle
> pas des preuves historiques, qui sont AVEUGLANTES, quand on a cet immense
> bonheur d'être retiré de cette abominable société pourrie, vile, sotte,
> orgueilleuse et — damnée ! ! ! (*Corresp.*, t. I, p. 146.)

Et il continue, en post-scriptum :

> Si l'on te demande de mes nouvelles, dis que tu *sais* que je me porte mieux
> et que je me suis absolument converti à la religion catholique, après mûres
> réflexions, en pleine possession de ma liberté morale et de mon bon sens. Ça,
> tu peux le dire très hautement, la suite ne te démentira pas... Je ne serai pas
> un dévot austère, je le crois ; toute douceur envers les autres, toute soumis-
> sion à *l'Autre* ; tel est mon plan. (T. I, p. 157.)

Il ne tint que trop, par la suite, cette promesse de n'avoir pas
la dévotion « austère » ! D'ailleurs, son ardeur de néophyte se
calma très vite ; pendant une courte période, son enthousiasme
et la chaleur de son inspiration nouvelle furent entretenus par
les livres pieux que lui faisait passer l'aumônier, par sa claus-
tration ; mais bientôt sa veine religieuse diminua, puis tarit ;
cette source, qu'il avait pu croire d'abord très abondante, ne
réapparut plus qu'en de rares intermittences.

On a rassemblé, en 1904, sous la garde d'une préface d'Huysmans, un choix de *Poésies religieuses* de Verlaine. C'est surtout
Sagesse qui a alimenté cette anthologie de pieuse intention; les
vers venus d'*Amour*, de *Bonheur*, de *Liturgies intimes* paraissent,
à côté, des actes de foi ou des pièces vraiment bien tièdes. Jamais Verlaine ne retrouva cet élan du cœur et de la pensée que

lui avaient donné, dans l'été de 1874, l'attente, puis la joie de la communion qui devait le régénérer.

Mais a-t-on le choix ? Les poètes catholiques, purement catholiques, et qui comptent, sont rares au xixᵉ siècle ; Lamartine, le plus en vue, le plus avouable, est trop occupé de pensées mondaines, trop sensuel, trop incliné aussi au doute. Verlaine, moins ambitieux dans ses desseins, offrait des cantiques, des vers édifiants, des poèmes qu'on pouvait chanter jusque dans une église de campagne ; sa conversion, après de grandes erreurs, était d'un haut exemple... Les milieux catholiques lui marquèrent, vers 1890, quelque sympathie. Un jésuite, auteur d'un *De Dante à Verlaine* (1897), reconnut en lui « une âme où passa la grâce », des vers « de pure inspiration chrétienne et de franche orthodoxie » ; il admettait d'ailleurs que ce pécheur n'était « resté que sur le seuil ». Aujourd'hui, il semble qu'on soit, dans le milieu du moins des poètes catholiques, moins confiant dans la vertu et la piété du poète de *Sagesse* ; s'il fut le prince des poètes de son temps, on ne songe plus à le dire un prince des poètes catholiques. L'action de la grâce en lui fut trop brève.

II. — Cellulairement (1875).

Sagesse ne parut qu'en 1881, mais ce n'est pas ce livre que Verlaine comptait publier, lorsqu'il quitta Mons, au début de 1875. En prison, il avait réuni les éléments d'un livre qui devait s'appeler *Cellulairement*. Le manuscrit, tout préparé pour l'impression, comprenait vingt-deux pièces ; deux furent, très vraisemblablement, arrachées ; en cet état, le manuscrit fut vendu par Verlaine, en 1890, au peintre F. Bouchor. M. Ernest Dupuy l'a étudié avec une parfaite sagacité (*Poètes et critiques*, 1913) et l'a décrit minutieusement dans la *Revue d'histoire littéraire de la France* (1913).

Ce manuscrit, qui ne fut point publié, a été, par la suite, comme rompu, et ses morceaux dispersés dans plusieurs des volumes que le poète fit paraître plus tard. On peut en avoir quelque regret, bien que ce soit là un souci, non pas d'artiste ou simplement de le

teur, mais d'historien ! *Cellulairement* est vraiment le livre de la
prison de Verlaine ; il rassemble les inspirations de ce temps
d'épreuves, diverses et quelquefois contradictoires ; l'ordre des
pièces est à peu près l'ordre chronologique : elles sont datées,
les premières de juillet 1873 et les dernières d'août 1874 ; sur le
manuscrit, Verlaine a modifié quelques dates ; il a postdaté notamment ses sonnets au Christ, en les recopiant à la fin du recueil,
afin de les rapporter à la période de sa libération ; il voulait signifier ainsi qu'un poète était entré en prison dans l'été de 1873
et qu'il en était sorti, moins de deux ans après, un chrétien.

Ce sont ces vers chrétiens, groupés dans *Cellulairement*, sous
le titre de *Final*, qu'il faut présenter d'abord, pour faire connaître
le livre de la prison, et aussi pour donner la meilleure idée de la
piété de Verlaine. Ils sont d'ailleurs, avec le poème intitulé *Via
Dolorosa*, les seuls vers du manuscrit qui soient d'inspiration
vraiment chrétienne. Chacun de ces sonnets est comme une partie
d'un grave dialogue entre Dieu qui pardonne et la créature qui a
péché ; voici, simplement, le premier et le dernier ; tout commentaire serait, avec les meilleures intentions du monde, ou naïf ou
irrespectueux.

> Mon Dieu m'a dit : Mon fils, il faut m'aimer. Tu vois
> Mon flanc percé, mon cœur qui rayonne et qui saigne
> Et mes pieds offensés que Madeleine baigne
> De larmes, et mes bras douloureux sous le poids
>
> De tes péchés, et mes mains ! Et tu vois la croix,
> Tu vois les clous, le fiel, l'éponge, et tout t'enseigne
> A n'aimer, en ce monde amer où la chair règne,
> Que ma Chair et mon Sang, ma parole et ma voix.
>
> Ne t'ai-je pas aimé jusqu'à la mort moi-même,
> O mon frère en mon Père, ô mon fils en l'Esprit,
> Et n'ai-je pas souffert, comme c'était écrit ?
>
> N'ai-je pas sangloté ton angoisse suprême
> Et n'ai-je pas sué la sueur de tes nuits,
> Lamentable ami qui me cherches où je suis ?

> ** **
>
> — Ah ! Seigneur, qu'ai-je ? Hélas, me voici tout en larmes
> D'une joie extraordinaire : votre voix
> Me fait comme du bien et du mal à la fois,
> Et le mal et le bien, tout a les mêmes charmes.

Je ris, je pleure, et c'est comme un appel aux armes
D'un clairon pour des champs de bataille où je vois
Des anges bleus et blancs sur des pavois,
Et ce clairon m'enlève en de fières alarmes.

J'ai l'extase et j'ai la terreur d'être choisi.
Je suis indigne, mais je sais votre clémence.
Ah, quel effort, mais quelle ardeur ! Et me voici

Plein d'une humble prière, encor qu'un trouble immense
Brouille l'espoir que votre voix me révéla,
Et j'aspire en tremblant...
                      — Pauvre âme, c'est cela !
                            (T. I, p. 253 et p. 259.)

Ces sonnets pieux ne sont qu'une des inspirations de *Cellu-lairement*. Il y en a plusieurs autres : de grands contes en vers : *Crimen amoris, La Grâce, Don Juan pipé, L'impénitence finale, Amoureuse du diable*, les quatre premiers écrits en juillet et août 1873, le dernier en août 1874 ; rien ne les caractérise mieux que de dire qu'ils sont des contes « diaboliques », à la manière de Barbey d'Aurevilly, des histoires extraordinaires sur des thèmes brouillés d'amour, de religion, de magie et de mort, des aventures macabres, fantastiques et infernales. Ces poèmes sont écrits avec facilité et de la verve ; mais on est gêné, pour les bien apprécier, par la connaissance des parties plus originales de l'œuvre de Verlaine. — Puis ce sont quelques souvenirs de prison, dont on a vu plus haut des spécimens ; — des paysages tristes ; — des pastiches railleurs de Coppée ; — des fantaisies sur des thèmes populaires. *Images d'un sou* fait défiler et brouille les histoires grossièrement coloriées d'images d'Épinal.

Toute histoire qui se mouille
De délicieuses larmes,
Fût-ce à travers des chocs d'armes,
Aussitôt chez moi s'embrouille,
Se mêle à d'autres encore,
Finalement s'évapore
En capricieuses nues,
Laissant à travers des filtres
Subtils talismans et philtres
Au fin fond de mes cornues
Au feu de l'amour rougies,
Accourez à mes magies !
                      (T. I, p. 324.)

L'inspiration de *Cellulairement* est, on le voit, — quelques
pièces mises à part, — toute proche de celle des *Romances sans
paroles* ; et c'est aussi la même fantaisie dans l'usage du rythme ;
le sonnet n'y est point traité, à la manière parnassienne, comme
un fétiche : *L'Almanach pour l'année passée* : *IV* (appelé dans
Jadis et Naguère : Sonnet boiteux, t. I, p. 308) est écrit en vers
de treize pieds ; les stances masculines alternent avec les féminines ; point de correspondance de rimes d'une stance à l'autre ;
à la fin, il n'y a plus la moindre apparence de rimes ; impossible
de mieux violer les règles ! D'ailleurs l'*Art Poétique* avait, tout
naturellement, trouvé sa place dans ce recueil, qui en était
comme une exacte application.

Les vingt pièces de *Cellulairement* que nous connaissons ont été
dispersées par la suite : deux ont été morcelées ; des dix-huit
autres, cinq ont été insérées dans *Sagesse* (1881), neuf dans *Jadis
et Naguère* (1884), quatre dans *Parallèlement* (1889).

III. — Sagesse (1881).

De 1875 à 1881 Verlaine ne publia rien. Il y avait comme une
espèce d'interdit sur lui, depuis l'aventure de Bruxelles ; il ne
pouvait trouver d'imprimeur décidé à sacrifier quelque argent
pour faire paraître de ses vers. Les *Romances sans paroles* n'a-
vaient pu voir le jour, — un jour bien terne, — que grâce à la
complaisance de son ami Lepelletier, qui, parce qu'il éditait un
journal en province, disposait d'une petite imprimerie. *Sagesse*
fut comme une sorte de « redébut ès littérature française », un
début qui ne fit point du tout de bruit, qui fut moins remarqué
certes que ne l'avait été le premier début, celui des *Poèmes saturniens*.

Sur la recommandation de personnes pieuses, conte E. Lepelletier, un éditeur catholique accepta d'imprimer ce volume où il
voyait un recueil de cantiques nouveaux ; E. Delahaye, plus sceptique et mieux renseigné, semble-t-il, affirme que Verlaine dut
déposer une provision de six cents francs. Quelques exemplaires
seulement furent vendus ; puis, — c'est Lepelletier qui donne ce

renseignement, — tout le stock des invendus fut descendu à la
cave, et bientôt, sans doute, mis au pilon. La deuxième édition,
la vraie publication de *Sagesse*, ne date que de 1889 ; Verlaine,
alors, était déjà entré dans la gloire, et ce n'était pas, on le verra
bientôt, ses vers pieux qui l'y avaient introduit ; au plus avaient-
ils servi de repoussoir pour mieux faire valoir d'autres vers, d'une
inspiration toute païenne.

Depuis, *Sagesse* a été plusieurs fois rééditée ; elle a paru en
édition de luxe ; on a même reproduit autographiquement le
manuscrit original, un humble cahier scolaire remis en 1880, pour
l'impression, à la Société d'édition de la librairie catholique, et
devenu la propriété d'E. Delahaye.

La première édition de *Sagesse* était précédée d'une préface,
qui a été ensuite supprimée, puis rétablie dans l'édition définitive.

L'auteur de ce livre n'a pas toujours pensé comme aujourd'hui. Il a longtemps erré dans la corruption contemporaine, y prenant sa part de faute et
d'ignorance. Des chagrins très mérités l'ont depuis averti, et Dieu lui a fait
la grâce de comprendre l'avertissement. Il s'est prosterné devant l'autel longtemps méconnu, il adore la Toute-Bonté et invoque la Toute-Puissance, fils
soumis de l'Église, le dernier en mérite, mais plein de bonne volonté.
Le sentiment de sa faiblesse et le souvenir de ses chutes l'ont guidé dans
l'élaboration de cet ouvrage qui est son premier acte de foi public depuis un
long silence littéraire : on n'y trouvera rien, il l'espère, de contraire à cette
charité que l'auteur, désormais chrétien, doit aux pécheurs dont il a jadis et
presque naguère pratiqué les haïssables mœurs.   (T. I, p. 195.)

Le recueil se divise en trois parties, dont une est très courte, la
seconde : elle est faite avec le *Final* de *Cellulairement*, la conversation du chrétien avec son Dieu reconquis, à laquelle ont été
jointes trois courtes pièces d'inspiration semblable. La première
partie comprend vingt-quatre pièces, pour la plupart sur des
thèmes religieux, avec deux ou trois pièces à caractère confidentiel, où le poète évoque les images de sa femme et de son fils. La
troisième partie est faite de vingt et une pièces dont les sujets sont
très divers et les rythmes fort variés : peu de poèmes religieux ;
des impressions, des paysages ; parfois, le sentiment religieux est
tout à fait absent. C'est un prolongement de l'inspiration des

Romances sans paroles ; mais elle est reléguée au second plan, et comme modulée à la sourdine.

Ce qui intéresse le plus dans *Sagesse*, c'est évidemment les pièces de pensée pieuse ; mais il est bien difficile d'en donner une idée qui serait, en même temps, une espèce de jugement critique. La foi de Verlaine se veut très simple, « très humble », « très douce », et sans efforts vers le dogme, sans appel d'images, sans apprêts de style. Le charme et le prix de ses pièces ne sont le plus souvent que leur sincérité évidente, l'élan du cœur et la façon dont les mots sont calqués sur l'intention modeste et pieuse du fidèle :

> Je ne veux plus aimer que ma mère Marie.
> Tous les autres amours sont de commandement.
> Nécessaires qu'ils sont, ma mère seulement
> Pourra les allumer aux cœurs qui l'ont chérie.
>
> . . . .
>
> Je ne veux plus penser qu'à ma mère Marie,
> Siège de la Sagesse et source des pardons,
> Mère de France aussi, de qui nous attendons
> Inébranlablement l'honneur de la patrie.
>
> Marie Immaculée, amour essentiel.
> Logique de la foi cordiale et vivace,
> En vous aimant qu'est-il de bon que je ne fasse,
> En vous aimant du seul amour, Porte du ciel ?
>
> (T. I, p. 249.)

Les thèmes des diverses pièces de *Sagesse* sont, il va de soi, peu nombreux, et, dans l'ensemble, assez monotones : des méditations sur la lutte entre le bien et le mal dans le cœur du poète et dans le monde ; des prières pour se réconforter, dont les plus touchantes sont celles que Verlaine adresse à la Vierge ; des poèmes satiriques, inspirés par la lutte des partis en France et par l'application aux congrégations des décrets de 1880 ; ces derniers ne manquent pas d'allure et de verve, mais ils datent évidemment. On lit plus volontiers les pièces du début de *Sagesse*, où Verlaine, inspiré par des lectures anciennes, pastiche ces allégories médiévales dont le succès sera si grand, un peu sous son influence, une dizaine d'années après. Les vers liminaires évoquent un « che-

valier Malheur », sorti tout à fait hors de l'abstraction, et vivant
comme un des personnages du *Roman de la Rose*.

> Bon chevalier masqué qui chevauche en silence,
> Le malheur a percé mon vieux cœur de sa lance.
>
> Le sang de mon vieux cœur n'a fait qu'un jet vermeil,
> Puis s'est évaporé sur les fleurs, au soleil.
>
> L'ombre éteignit mes yeux, un cri vint à ma bouche,
> Et mon vieux cœur est mort dans un frisson farouche.
>
> Alors le chevalier Malheur s'est rapproché.
> Il a mis pied à terre et sa main m'a touché.
>
> . . . .
>
> Et voici que, fervent d'une candeur divine,
> Tout un cœur jeune et bon battit dans ma poitrine.
>
> . . . .
>
> Mais le bon Chevalier, remonté sur sa bête,
> En s'éloignant, me fit un signe de la tête.
>
> Et me cria (j'entends *encore* cette voix) :
> « Au moins, prudence ! car c'est bon pour une fois. »
>
>   (T. I, p. 197.)

Ici le charme de l'allégorie se brise peut-être pour un lecteur
attentif et qui connaît toute l'œuvre de Verlaine ; le « bon che-
valier » redevient ce qu'il fut avant d'être mué en symbole, c'est-
à-dire le placide gendarme français qui accueillit Verlaine le jour
où il passa la frontière vers la France (voir t. II, p. 156 ; t. IV,
p. 421), et l'admonesta fraternellement. Mais ce sourire et cet
humour du poète ne se manifestent qu'au dernier vers ; et cette
manière lointaine, à la fois précise et indécise, de voir la réalité
était, somme toute, conforme au nouveau système poétique de
Verlaine ; on conçoit bien que les naïves allégories d'autrefois
l'aient séduit, ainsi que de simples images d'Épinal, et qu'il soit
allé chercher en elles de nouvelles manières de dire, roides et
gauches à l'apparence, nuancées et délicates en réalité par
l'usage qu'il en faisait.

Les pièces les plus personnelles et les plus délicates de *Sagesse*
sont celles où Verlaine, pénétré de ses convictions nouvelles et
de ses sentiments nouveaux, revient à la pensée de sa femme et

de son fils, avec le désir du vrai pardon et d'un recommencement
de vie. Mais la plainte est si discrète, le souhait si murmuré, que
seule la femme, ou bien quelques amis pouvaient entendre le sens
confidentiel ; le lecteur n'avait en face de lui, sur la page du livre,
qu'une pauvre tristesse inquiète et quémandeuse de mieux :

> Écoutez la chanson bien douce
> Qui ne pleure que pour vous plaire.
> Elle est discrète, elle est légère :
> Un frisson d'eau sur de la mousse !
>
> La voix vous fut connue (et chère ?),
> Mais à présent elle est voilée
> Comme une veuve désolée,
> Pourtant elle est encore fière.
>
> . . . .
>
> Accueillez la voix qui persiste
> Dans son naïf épithalame.
> Allez, rien n'est meilleur à l'âme
> Que de faire une âme moins triste !
>
> * *
>
> . . . .
>
> Remords si cher, peine très bonne,
> Rêves bénits, mains consacrées,
> O ces mains, ces mains vénérées,
> Faites le geste qui pardonne !
>
> (T. I, p. 228 à 231.)

C'était bien « des beaux yeux derrière des voiles..., pas la couleur, rien que la nuance..., de la musique encore et toujours »,
selon les prescriptions de l'*Art poétique*, inédit alors, mais qui
avait transformé tout l'art du poète. On retrouverait aussi dans
Sagesse la plupart des innovations rythmiques permises par l'*Art
poétique*, et essayées dans *Romances sans paroles* et *Cellulairement;*
seules les pièces à caractère exclusivement religieux sont écrites
selon les rythmes traditionnels ; mais partout ailleurs ce sont des
vers de longueur très variée, des rythmes impairs, des séquences
de rimes masculines ou féminines, des assonances en place de
rimes..., toute une nouvelle musique de mots pour traduire des
état sd'âme nouveaux et des sensations rares dans leur simplicité.

IV

Je fus mystique et je ne le suis plus.
(T. II, p. 345.)

Au moment où Verlaine publia *Sagesse*, son ardeur catholique, peu nourrie depuis la sortie de prison, et déjà bien ralentie, s'était éteinte tout à fait. *Sagesse*, à vrai dire, n'était qu'un choix parmi les vers écrits depuis dix ans ; et Verlaine gardait en portefeuille, — si l'on peut parler des portefeuilles de Verlaine ! — des vers semblables de facture, mais d'une tout autre inspiration, quelques-uns fort érotiques et qui datent du temps même du plus grand émoi religieux. Ces grands contrastes ; le triomphe, bientôt, des goûts d'ivrognerie et de luxure ; des aventures fâcheuses ; des entraînements douteux ; une sorte de répétition du drame de Bruxelles, qui fit condamner Verlaine par un tribunal correctionnel pour violences et menaces envers sa mère... — bref, la réapparition du vieil homme, aux sens point calmés, mais plutôt exacerbés par la venue de l'âge, tout cela a fait bien souvent douter de la sincérité de la conversion de Verlaine. E. Lepelletier, son plus intime ami, qui avait longtemps communié de pensées avec Verlaine dans un joyeux athéisme, n'a pas compris cette métamorphose ; il l'a réduite à un « acte impulsif », d'effet rapide ; il pense que la foi du poète s'évapora, en fait, très vite, dès qu'il fut sorti de sa cellule de Mons. Qui peut vraiment sonder ces sincérités ? C'est, en tout cas, une grande naïveté chez les critiques et les historiens que de s'instituer experts en foi, et de dire : ceci est bon et valable sentiment catholique, et ceci non !

Verlaine s'est bien souvent frappé la poitrine, dans les quinze dernières années de sa vie ; il se blâmait, tout le premier, de « faire noir ayant dit blanc » (t. III, p. 31).

J'étais naguère catholique
Et je le serais bien encor...
Mais ce doute mélancolique !
(T. III, p. 218.)

Je fus, écrivait-il le 26 août 1889 à un jeune ami, — hélas je *fus* ! — un chrétien... Mes chutes sont dues à quoi ? Accuserai-je mon sang ? mon éducation ? mais j'étais bon, chaste... Ah ! la boisson qui a développé l'acare, le bacille, le microbe de la luxure à ce point en ma chair faite pourtant pour la norme et pour la règle. C'est vrai que le malheur, un malheur sans pair, je crois, m'a — pour un temps — trempé, puis peut-être détrempé, faute d'avoir été pratiqué judicieusement.

(Cité par L. Aressy, *La dernière bohème*, 1923, p. 81.)

On multiplierait ces témoignages qui disent la mort de la foi ancienne ; de temps en temps le poète souhaitait un retour aux « bons mysticismes cordiaux et simples du charbonnier », et il espérait y parvenir « avec ses petites pratiques du soir et du matin » (L. Aressy, *La dernière bohème*, p. 91) ; mais c'était de bien courts moments. De son ancienne ardeur il ne gardait que l'acquiescement déférent de sa raison, qui s'interdisait, sinon de douter, du moins de formuler ses doutes ; il gardait l'émotion physique devant les spectacles de l'église, et la croyance en la confession qui précède le pardon. Il était de ceux qui ont besoin de pécher abondamment pour se sentir catholiques ; il péchait beaucoup ; il avait à se confesser souvent ; et il s'adressait plus volontiers au public qu'au prêtre. Comme la confession, pour être valable, doit être entière et véridique, il ne cachait aucune circonstance. Point de péché d'orgueil, d'ailleurs, mais des péchés de luxure, « ce moins terrible des péchés » (t. II, p. 391). Les vers de ses dernières années ne sont, pour la plupart, que des confessions de son « cœur affreux » ; elles avoisinent des regrets chrétiens, des litanies, des actes de foi répétés avec l'espoir de retrouver la foi. Ainsi se dessinent, dans l'œuvre de Verlaine, au lendemain de *Sagesse*, deux grandes voies d'inspiration *parallèles*, — parallèles dans le temps, mais fort distantes au départ comme à l'arrivée. Le mot *parallèlement* devint le titre du premier recueil où le poète associa ces deux tendances ; bien vite, en effet, il se fit un système de l'impossibilité où il se trouvait d'être autre qu'il n'était devenu. Dans la notice qu'il écrivit sur lui-même (*Pauvre Lélian*, 1886), il a marqué cette transformation, qui suivit la publication de *Sagesse* :

Son œuvre se tranche, à partir de 1880, en deux portions bien distinctes, et le prospectus de ses livres futurs indique qu'il y a chez lui parti pris de continuer ce système et de publier, sinon simultanément..., du moins parallèlement, des ouvrages d'une absolue différence d'idées, — pour bien préciser, des livres où le catholicisme déploie sa logique et ses illécébrances, ses blandices et ses terreurs, et d'autres purement mondains, sensuels , avec une affligeante belle humeur et pleins de l'orgueil de la vie.

(T. IV, p. 85.)

CHAPITRE VIII

DERNIÈRES INSPIRATIONS (1881-1896). LA GLOIRE

I. — *La bohème dernière.*

Las ! que c'est de tourner vieux ! (t. III, p. 221.)

L'année où il publia *Sagesse* (1881), Verlaine revint à Paris;
mais il ne semble pas, bien qu'il ait esquissé alors quelques démar-
ches pour se faire réintégrer dans son ancien emploi à l'Hôtel
de Ville, qu'il ait eu vraiment, dès cette époque, l'intention de
reprendre sa vie parisienne, abandonnée depuis près de dix ans.
Il avait plutôt le désir, malgré une première expérience fâcheuse,
de vivre à la campagne une vie de petit propriétaire cultivateur.
La mort de Lucien Létinois (1881), qu'il avait fini par considérer
comme une espèce de fils adoptif, le poussa d'ailleurs à se rapprocher des parents du cher mort ; il acheta un peu de terre à Cou-
lommes ; mais cette seconde tentative, très courte, ne servit qu'à
achever de le ruiner, lui et sa mère. Du coup, ce fut la fin du beau
projet de « refaire sa vie » sur un plan nouveau, à la campagne,
loin des appels et des excitations de Paris.
Plus que jamais, il se remit à boire.

Ah ! si je bois, c'est pour me soûler, non pour boire !
Etre soûl, vous ne savez pas quelle victoire
C'est qu'on remporte sur la vie.
(T. I, p. 423.)

Ses pertes d'argent l'aigrirent ; l'alcool l'affola ; en février 1885,
dans des circonstances restées obscures, Verlaine, hors de sens,
leva la main sur sa mère ; du moins le tribunal crut les témoins

qui affirmèrent avoir vu et entendu ; et l'on condamna le poète à un mois de prison, pour violences et menaces de mort (voir t. III, p. 342 ; t. IV, p. 422).

Libéré en mai 1885, Verlaine vint s'installer à Paris avec sa mère, qui avait pardonné à ce grand fils-enfant, trop souvent irresponsable de ses actes. Il n'allait plus, jusqu'à sa mort, quitter Paris, sauf pour de petits et courts voyages que nécessita le soin de sa santé et le souci de gagner quelque argent.

C'est la période de son existence que nous connaissons le mieux. Sa vie, certes, jusqu'à cette date, n'avait pas été sans scandales ni sans douleurs ; mais le poète était si peu connu que ces douleurs étaient restées secrètes, sauf pour quelques intimes, et que ces scandales n'avaient fait que peu de bruit. Dans les dix dernières années de sa vie, au contraire, Verlaine devint, un peu par hasard, matière à la chronique de tous les jours ; on eut la curiosité de ne rien ignorer de ses faits et gestes ; les anecdotes s'entassèrent bien vite ; et le tas a continué de grossir, après sa mort. Qui, parmi les éphèbes de lettres ou les étudiants en médecine, n'a pas connu Verlaine, il y a trente ans ? Qui n'a pas eu, depuis, quelque histoire à dire sur son compte ? Le *Verlaine intime* de Donos (1898), les *Derniers jours de P. Verlaine* de F.-A. Cazals et G. Le Rouge (1911, rééd. 1923), tout récemment *La Dernière bohème* de L. Aressy (1923) sont des espèces d'hagiographies consacrées à cette singulière légende. Le tome II de la *Correspondance* (1923) vient de rassembler les lettres de cette époque (à L. Vanier, à A. Savine, aux « chères amies »). Et que d'articles de revues aussi ! Si l'on aime les détails de vie truculents, saugrenus, pittoresques, on en aura vite fait collection en parcourant ces livres et ces articles de biographie anecdotique. On se contentera ici, puisqu'on ne s'est point du tout proposé de tracer une nouvelle biographie du poète, de décrire sommairement l'ambiance dans laquelle ont été conçues et écrites les dernières œuvres de Verlaine.

Le poète et sa mère arrivèrent à Paris au milieu de 1885, très désargentés déjà ; ils organisèrent de leur mieux une pauvre petite vie honteuse et étroite de bourgeois ruinés. Moins d'un an après

(janvier 1886), la mère meurt ; brusquement la misère se jette
sur le poète. La vieille maman laissait un petit peu d'argent, les
derniers restes de l'ancienne fortune si souvent écornée ; un autre
héritage, bien léger, échut dans le même temps à Verlaine; mais
la femme séparée fit alors valoir ses droits et ceux du fils ; elle
réclama la pension due par le père et jamais servie... En janvier
1887, Verlaine fit ses comptes : après la saisie exigée par sa femme,
il ne lui était resté comme ressources que près de six mille francs
et il arrivait à aligner les chiffres d'une addition de dépenses qui
montait à cinq mille francs (*Corresp.*, t. II, p. 64) ; il restait théo-
riquement un millier de francs ; mais le poète avait beau « retour-
ner ses profondes »..., « pas un maravédis ! » Aussi bien, n'avait-il
pas tenu compte des dépenses de café ! Une page de facture
d'hôtelier — d'une époque postérieure, et publiée dans *Verlaine
intime* (p. 240) — nous laisse entrevoir ce qu'elles pouvaient être :
« verres..., verres..., demi-setiers..., consommations..., canettes...,
verres..., absinthes... » : plus de trois fois chaque jour la somme
dépensée pour les deux repas. Les taudis où le poète était obligé
de loger maintenant le repoussaient de plus en plus vers ces lieux
délectables, vivants, éclairés, chauffés, pleins d'amis ou d'in-
connus bienveillants qu'étaient pour lui les cafés, les brasseries
ou les « assommoirs » populaires.

A partir de 1887, Verlaine ne possède plus rien de cette réserve
d'argent qui lui avait permis, après les grands heurts de son existence, de se remettre sur pieds assez rapidement, chaque fois,
qui l'avait dispensé aussi du souci de gagner sa vie en écrivant.
Dès lors, et jusqu'à la fin, l'argent nécessaire pour ne pas mourir
de faim et pour ne pas coucher dans la rue, lui arriva péniblement,
très irrégulièrement, par sommes minuscules : des pièces de cinq
francs, de dix francs, de vingt francs ; un billet de cinquante francs
était, entre ses doigts, une chose rare. A peine avait-il saisi cet
argent, il ne l'avait plus, tant il y avait de dettes, petites ou grandes. Ses articles et ses livres lui rapportaient fort peu ; il les mul-
tiplia ; il griffonnait des pièces à la hâte pour gagner une ou deux
pièces de cent sous, il faisait de la « prose au kilo », des « vers frais
ou faux » (t. III, p. 147). Rien de plus navrant que de lire, à la

suite, ses lettres à l'éditeur LéonVanier, et son incessante requête
d'argent, qui, plus d'une fois, est comme un mendiement :

> Tu le vois, mon cher ami, écrivait-il à E. Lepelletier, le 7 août 1887, la
> situation est bien nette. Mourir de faim, ou trouver quelque chose, le plus tôt
> possible, n'importe quoi d'abord, ou ensuite... Pour le moment, je n'ai rien
> dans la poche. (*Corresp.*, t. I, p. 207.)
> Je n'aurais jamais dû penser, écrivait-il à L. Vanier, six mois après,...
> que je dusse aujourd'hui redouter la mort de faim, car c'est ça littéralement
> alors. *Corresp.*, t. II, p. 122.)

Le plus souvent, Verlaine n'avait même pas « une pièce de cinq
francs en réserve », comme il le souhaitait en un jour de sagesse,
plein du désir de faire de grandes économies (*Corresp.*, t. II, p. 70).

Par surcroît, la maladie était venue. Dès son arrivée à Paris,
Verlaine commença à souffrir d'une ankylose rhumatismale du
genou gauche ; l'âge, les conditions lamentables de son existence
la rendirent vite incurable. Il fut désormais une espèce d'infirme,
traînant à travers Paris sa jambe « comme un boulet », toujours
claudicant et appuyé sur une canne. A chaque crise un peu vive,
dès 1886, il lui fallut aller à l'hôpital ; il connut ainsi, en neuf ans,
la plupart des hôpitaux parisiens : Broussais, Tenon, Cochin,
Saint-Antoine, Saint-Louis, Bichat, l'Asile de Vincennes, chaque année plusieurs mois. D'abord, il y alla avec répugnance,
forcé par la douleur et la pauvreté ; mais, bientôt, il fut un habitué
reconnaissant ; c'étaient les seuls vrais moments de relâche à sa
misère ; il n'avait qu'une peur : être renvoyé trop tôt. Mais, vite,
les internes et les médecins le connurent ; sa gloire entra à l'hôpital, et elle en ressortit plus singulière et plus impérieuse ; on
faisait fête à cet étrange malade ; on pliait les consignes devant
lui ; on l'hospitalisait plus longtemps et plus facilement qu'on
n'aurait consenti pour des malades du commun ; on fermait les
yeux sur ses rentrées tardives et d'allure incertaine ; les ruelles
de son lit s'encombraient d'amis en dehors des heures de visite
réglementaires ; drapé dans sa longue robe de malade, il pouvait
paraître présider un vrai cénacle littéraire. L'hôpital était un
bon gîte pour le poète.

Dès le début, d'ailleurs, ainsi qu'en témoignent des vers de 1888

(t. II, p. 231), Verlaine avait regardé avec assez de bonne humeur
cet horizon nouveau de sa vie :

> Le « sort » fantasque, qui me gâte à sa manière,
> M'a logé cette fois, peut-être la dernière,
> Et la dernière, c'est la bonne — à l'hôpital !
> ....
> J'y suis, j'y vis. « Non, j'y végète », on rectifie.
> — On se trompe. J'y vis dans le strict de la vie,
> Le pain qu'il faut, pas trop de vin, et mieux couché !
> ....
> C'est un lieu comme un autre, on en prend l'habitude :
> A prison bon enfant longanime Latude.
> ....
> La conversation dans ce modeste asile
> Ne m'est pas autrement pénible et difficile.
> Ces braves gens, que le Journal rend un peu sots,
> Du moins ont conservé malgré tous les assauts
> Que « l'Instruction » livre à leur tête obsédée,
> Quelque saveur encor de parole et d'idée.
> ....
> Même je les préfère aux mufles de ma sphère,
> Certes ! et je subis leur choc sans trop d'émoi.
> Leur vice et leur vertu sont juste à point pour moi
> Les goûter et me plaire en ces lieux salutaires
> A (comme moi) des espèces de solitaires.
> Espèce de couvent, moins cet espoir chrétien !

Un livre en prose, *Mes Hôpitaux* (1891), et un recueil, *Dans les
limbes* (1894), ont été inspirés par ces temps de retraite, de bien-
être et de sagesse forcée.

Mais l'hôpital, même fréquent, ne s'ouvrait que quelques mois
chaque année, au poète. La misère et la maladie ne furent tempé-
rées de la sorte que bien peu de temps au total ; elles achevèrent
d'empêcher que le poète devînt sage, comme il l'avait souhaité.
Les deux démons qui étaient entrés en lui, « l'Ivrogne, et l'autre
pire ! » ne le quittaient plus ; il était vieux déjà, bien plus vieux
que son âge ; ses entraînements étaient souvent d'un « vieux »,
— c'est lui qui se voyait ainsi,— âpres, gauches, vraiment sans
élégance ; il se voyait une « lamentable épave, éparse à tous les
flots du vice » (t. II, p. 126),

> Presque un vieillard, presque hystérique,
> Aux goûts sombres et ruineux,

Évocation chimérique
Des grands types libidineux,

Tibère et tous...
                    (*Œuvres posth.*, t. I, p. 149.)

Le « démon femelle, triple peste, Pire flot de tout ce remous-
pire ordure que tout le reste » (t. II, p. 243), fut légion pendant
ces dernières années. On ne nous a rien laissé ignorer des acoqui-
nements et des faiblesses du poète ; il est vrai qu'il a été lui-
même furieusement indiscret, en vers comme en prose. Hélas !
il fut le « débauché pauvre » de Baudelaire qui doit se plaire
auprès de l' « antique catin », et qui s'y plaît âprement, malgré
l'ambiance ignoble, bien vite à cause de cette ambiance même.
Les meilleures et les moins coureuses des « chères amies » du
poète, une Philomène Boudin ou une Eugénie Krantz, ne furent,
au dire des intimes, que de vulgaires ribaudes, fanées et misérables, assoifées d'argent et heureuses dans la crapule. Souvent on voulut libérer d'elles Verlaine, malgré lui ; il leur revenait tout de suite ; les pires révélations le trouvaient incrédule
ou indulgent ; il ne se fâchait même pas à l'idée que ses
« muses » se moquaient des vers qu'il écrivait pour elles :

Il paraît que tu ne comprends
Pas les vers que je te soupire.
Soit ! et cette fois je me rends !
Tu les inspires, c'est bien pire.
                    (T. III, p. 69.)

Il n'avait qu'une chose à leur dire, et qu'une chose qui l'atta-
chât à elles : la reconnaissance sensuelle ; qu'importaient les autres
qualités de la muse ou de la femme !

Inutile de faire ici même un court florilège d'anecdotes ; beaucoup sont d'ailleurs tout à fait suspectes. Il suffit de parcourir
les recueils des dernières années du poète ; bien vite se dessine
l'image d'un intérieur maussade, d'une vie lourde, avec des éclats
et des violences. Mais Verlaine aimait, quoiqu'il se soit plaint
parfois, cette vie de bohème bruyante et tumultueuse, ces crises,
ces alternatives de ripaille et de dispute :

> Je n'ai pas de chance en femmes,
> Et, depuis mon âge d'homme,
> Je ne suis tombé guère, en somme,
> Que sur des criardes infâmes,
>
> C'est vrai que je suis criard
> Moi-même, et d'un révoltant
> Caractère tout autant,
> Peut-être plus, par hasard.
>
> Mes femmes furent légères...
>
> (T. II, p. 341.)

Un poème d'*Élégies* (1893) nous fait passer en revue la compagnie bigarrée et louche des femmes de sa quarantaine :

> L'une, fille du Nord, native d'un Crotoy,
> Était rousse, mal grasse et de prestance molle.
> ....
> L'autre, pruneau d'Agen, sans cesse croassait,
> En revanche, dans son accent d'ail et de poivre
> Une troisième, récemment chanteuse au Havre,
> Affectait le dandinement des matelots
> Et m'... engueulait comme un gabier tançant les flots.
>
> (T. III, p. 24.)

et il y en a vingt de la sorte dans ce seul poème. Mais, si l'on veut évoquer seulement l'image des deux qui fixèrent le poète par une espèce d'union conjugale, « véhémente et brutale » (t. III, p. 14), c'est une image brouillée qui apparaît, une succession plutôt d'images heurtées : des ivresses communes, des coups, des réconciliations, des fuites :

> Tu bois, c'est hideux ! presque autant que moi.
> Je bois, c'est honteux ! presque plus que toi.
>
> (T. II, p. 324.)

> Aux tripes d'un chien pendu
> Tu m'assimiles parfois,
> M'engueulant de cette voix
> Idoine à ce propos dû.
>
> Tu me dis, robuste et grasse,
> Assez souvent, qu'un beau jour
> Ce serait si bien mon tour
> Que le diable en crierait grâce !

> Mon tour d'écoper, car tu
> Ne te mouches pas du pied
> Pour manier comme il sied
> La gifle.
>   (T. III, p. 61.)

> Tu m'as frappé, c'est ridicule,
> Je t'ai battue et c'est affreux :
> Je m'en repens et tu m'en veux.
> C'est bien, c'est selon la formule.

> Je n'avais qu'à me tenir coi
> Sous l'aimable averse des gifles
> De ta main experte en mornifles,
> Sans même demander pourquoi.

> Et toi, ton droit, ton devoir même,
> Au risque de t'exténuer,
> Il serait de continuer
> De façon extrême et suprême.
>   (T. II, p. 319.)

Le pauvre homme vieilli jouissait profondément de cette servitude, de ces capitulations ; il se dessine volontiers à genoux, repentant, aux pieds de la commère insultante ; il aime à conter les scènes où il se laisse enlever, par intimidation, le peu d'argent qu'il a reçu, les mensonges évidents qu'il doit accepter, les interdictions véhémentes de fréquenter tel ou tel ami... Après ces orages, entre deux drames de colère, la vie commune lui réservait, sans parler d'autres heures, quelques bons moments. C'était d'ailleurs un paradis bien médiocre ; lui et elle, ils jouissaient des humbles plaisirs que peuvent se permettre de tout petits employés parisiens ; on le voit qui la suit, devenue bonne ménagère, chez les fournisseurs, et qui porte son panier de provisions ; elle accompagne chez l'éditeur son homme qui va quémander quelques pièces de cinq francs et qui pourrait les dépenser en route ; on fait un bon repas ; le soir, « sous la lampe », elle lui lit les faits divers des journaux, et les commente ; tous deux s'étonnent de la perversité humaine ; lui, il lime « des vers subtils » ; il regarde Paris par la fenêtre.

> Moi, je fume ma pipe et compose des vers
> Bonhomme, en jouissant de ces sites bonhomme,
> Et quand tombe la nuit, je m'endors vite ; et comme

Je rêvasse toujours, je rêve à des vers mieux,
Bien mieux que ceux de tout à l'heure, vers, grands Dieux,
Pathétiques, profonds, clairs telle l'eau de roche,
Sans rien en eux qui bronche ou seulement qui cloche,
Des vers à faire un jour mon renom sans pareil
— Et dont je ne sais plus un mot à mon réveil.

> (*Œuvres posthumes*, t. I, p. 102.)

De bien courts moments de quiétude dans une vie, somme toute misérable et douloureuse.

II. — *La venue de la gloire.*

C'est ce qu'on appelle la Gloire !
— Avec le droit à la famine,
A la grande misère noire.

> (T. III, p. 314.)

C'est cette bohème, cette misère, les contrastes de cette vie tenue en partie double, surtout le cynisme et le débraillé ordinaire de ses manières qui valurent la gloire à Verlaine, — non pas la découverte subite de ses belles œuvres d'autrefois. Il avait eu une toute petite poussée de renom, aux premiers jours du Parnasse ; mais en 1885 il était profondément oublié ; Zola, en 1881, en parlait comme d'un disparu. Seuls le lisaient et l'imitaient un peu trois ou quatre très jeunes poètes, qui ne le savaient pas aussi original qu'il devait paraître bientôt, et qui ne savaient pas surtout qu'il y avait avantage à se réclamer de lui comme d'un maître. D'ailleurs, en 1885, Verlaine venait seulement de revenir à Paris, après quinze années de voyages ou d'apparitions timides. Bien vite, sa silhouette, très caractéristique alors, fut connue sur la rive gauche.

Ce fut vers ce temps, écrit A. Poizat (*Le symbolisme*, 1919, p. 117), que commença à apparaître dans les cafés du quartier Latin, un homme étrange, vêtu d'un éternel mac-farlane, qui élargissait encore ses larges épaules, surmontées d'une tête lippue, terminée par l'énorme dôme d'un front proéminent, bosselé, à l'ombre duquel luisaient par instant, au-dessus d'un nez camard, des yeux un peu bridés de Mongol. Une barbe de chèvre achevait le visage. C'était la tête classique du faune camard, ou encore celle, si fameuse, de

Socrate. Le personnage était, à l'apéritif, le plus solide et le plus persévérant des buveurs. Sa physionomie mobile passait de la gaîté silencieuse à une profonde tristesse. Des jurons retentissants sortaient de sa bouche, aussi prompte à exprimer la colère que l'apaisement malicieux. De temps en temps, on le voyait écrire des vers.

Les cafés du quartier Latin étaient alors fréquentés surtout par des jeunes poètes qui se disaient *décadents* : ce mot couvrait une doctrine littéraire, — nous aurons à la voir bientôt, en cherchant à délimiter l'influence que Verlaine eut sur les poètes symbolistes, — mais il désignait surtout et d'abord un ensemble d'attitudes adoptées pour protester contre les croyances et les manières de la génération précédente. Patrie, morale, société, convenances, on faisait foin de tout cela ; seul comptait « l'Art », avec toutes ses exigences, tous ses droits, et le poète se disait volontiers un « maudit » dans ce siècle gourmé.

> Gloire au poète pur en ces jours de monocles !

écrira bientôt Verlaine (t. II, p. 262) ; or il était ce poète « pur », le symbole de toutes les protestations et de tous les affranchissements. La misère, la prison, l'alcool, la bohème, l'hôpital, les grands et les petits vices..., on aurait pu choisir parmi ces raisons de l'admirer ; mais on exaltait tout en bloc. « Le père, le vrai père de tous les jeunes, dira Mallarmé à J. Huret, c'est Verlaine, le magnifique Verlaine, dont je trouve l'attitude comme homme aussi belle vraiment que comme écrivain, parce que c'est la seule, dans une époque où le poète est hors la loi, que de faire accepter toutes les douleurs avec une telle hauteur et une aussi superbe crânerie. »

Il semble bien que ce soit à l'occasion d'une des entrées de Verlaine à l'hôpital, vers la fin de 1886, que sa légende se soit cristallisée. Une lumière de gloire vint tout à coup surprendre le poète dans l'ombre où l'avaient relégué tant de mauvais jours et l'oubli de presque tous ses amis. On vit en lui, non point l'auteur de *Sagesse* ou des *Romances sans paroles*, mais, en une image vite conventionnelle, le Poète ingénu et primitif abandonné au vice à cause du trop de richesse et de simplicité de sa nature, à cause aussi de l'imperfection de la société moderne, mais conservant, au plus fort du péché, toute la pureté de son cœur ; sensuel et chaste, mystique et païen, tantôt avec des mots d'argot très crus aux lèvres et tantôt avec de divines paroles musicales. Sa force résidait en ceci qu'il était tous ces contraires dans le même temps : Verlaine l'affirmait lui-même :

> Ce Monsieur crut plaisant de me couper en deux :
> Le poète, très chic ; l'homme, une sale bête.
> Voyez-vous, ce Monsieur qui me coupait en deux !
>
> (T. III, p. 339.)

On le trouvait à genoux devant une image de la Vierge et puis, un moment après, debout devant le comptoir d'un mastroquet. C'est ainsi qu'Anatole France devait le peindre dans *Gestas* (*L'étui de nacre*, 1892) : un bon ivrogne pris, après de longues stations dans tous les débits du quartier, d'une furieuse envie de se repentir et de se confesser, et jurant comme un perdu parce que son besoin pieux ne peut être aussi vite satisfait qu'une de ses envies de boire. L'image est caricaturale ; on en trouverait de pieuses : C. Lemonnier (*Mercure de France*, mai 1897) écrira la légende du « bon Pauvre », qui pèlerinait dans la vie avec sa béquille, et qui, finalement, « entra dans la Grande Église et mérita de devenir un de nos saints révérés ».

La légende moyenne de Verlaine, point trop caricaturale comme elle l'est dans *Gestas*, point trop hagiographique ainsi que la fit C. Lemonnier, toute proche souvent de la réalité, a été fixée par Anatole France dans *Le Lys rouge* (1894). Le poète Choulette, introduit un peu singulièrement dans un milieu qu'en réalité il ne fréquentait guère, est un ivrogne, l'ami brutal de fort laides prostituées, l'auteur de *Blandices* et le créateur du tiers ordre de saint François ; c'est tantôt un faune dont les gros appétits se révèlent en de subits emportements et tantôt un apôtre qui veut régénérer le monde et l'Église par l'exercice de la vertu de pauvreté. C'est bien Verlaine, non pas tout à fait tel qu'il était, mais tel qu'on lui demandait d'être vers 1890, et tel qu'il acceptait de paraître ; il lui suffisait, pour être conforme au vœu

de ses admirateurs, de styliser un peu en ses paroles le dérègle-
ment de sa vie.

Toutes les marques de la gloire littéraire, telle qu'on la concevait dans le XIXᵉ siècle finissant, lui furent successivement attri-
buées ; on le nomma « chef d'école » ; il eut un « salon littéraire »,
qu'il présidait tantôt de son lit d'hôpital et tantôt dans une
petite chambre de mauvais hôtelg arni ; au café, on se pressait
autour de lui en écoutant religieusement ses propos d'art et en
encourageant sa soif. En 1888, la « grande critique » le découvrit.
Bientôt son nom parut à tout bout de champ dans les « échos »
des petits journaux, généralement railleurs et malfaisants, ainsi
qu'il convient. En 1891, au cours de l'enquête de J. Huret sur
l'évolution de la littérature, les jeunes poètes le reconnurent
presque unanimement comme maître, sans trop de ces réserves
astucieuses qui, à l'ordinaire, atténuent la modestie de tels aveux.
En 1894, il fut élu prince des poètes. Sa gloire passa les frontières.
En Belgique, en Hollande, en Angleterre, on voulut le connaître et on le fit venir, moins pour entendre son sentiment sur la
poésie française que pour voir enfin ce personnage extraordinaire
dont les journaux et les revues faisaient tant de bruit. Il s'amusa
lui-même à proclamer l'espèce de royauté que lui donnait l'opinion en esquissant un geste de candidature à l'Académie française (*Œuvres posth.*, t. II, p. 360).

Cette gloire, pendant les premières années, ne modifia guère
les conditions matérielles de la vie du poète. Quelquefois, il s'en
indignait, ne comprenant pas que la gloire ne fût pas quelque peu
monnayable.

> Ah ! si l'on pouvait m'étouffer
> Sous cette pile de journaux
> Où mon nom qu'on feint de trouver
> Comme on rencontre des cerneaux
> Se gonfle à le faire crever !
>
> C'est ce qu'on appelle la Gloire !
> — Avec le droit à la famine,
> A la grande misère noire
> Et presque jusqu'à la vermine, —
> C'est ce qu'on appelle la Gloire !
>
>   (T. III, p. 314.)

Vers la fin de la vie de Verlaine, sa gloire prit enfin quelques-
unes des formes qui lui sont aujourd'hui assez habituelles ; elle
rendit plus régulières à venir et plus abondantes les pièces d'argent dont le poète avait besoin pour vivre. Dans ses derniers
mois, il commença à échapper à la misère ; des souscriptions
discrètes, des secours officiels, des articles mieux payés, des
conférences qui lui valaient des sommes assez importantes ; on
assura à Verlaine un gîte moins hasardeux ; on surveilla un peu
l'administration de son ménage... Une bonne, paraît-il, entra
dans sa petite demeure ; il dut la regarder avec stupéfaction,
comme une vision de sa jeunesse : depuis le temps de la *Bonne
Chanson*... ! Verlaine put être malade chez lui et mourir chez lui,
non à l'hôpital, comme il serait arrivé quelques années auparavant.

III. — *Dernières inspirations et dernières œuvres.*

> ... vieux comme je suis,
> Ou comme je commence à l'être !
> Moins me siérait, tant c'est depuis !
> D'évoquer les anciens déduits
> Que de songer au grand Peut-Être.
>
> **(T. III, p. 241.)**

Les œuvres de cette dernière partie de la vie de Verlaine sont
bien moins intéressantes que sa vie et que sa légende ; mais elles
sont fort nombreuses. L'édition courante de ses œuvres comprend,
avec les œuvres posthumes, sept volumes. Tous les recueils que
nous avons étudiés jusqu'ici, y compris *Sagesse*, sont dans le
premier volume, qui est comme l'écrin des richesses verlainiennes ;
les six autres volumes rassemblent, en gros, tout ce que le poète
a composé de 1880 à 1895. Il est bien difficile, à moins d'être un
admirateur fétichiste ou de se plaire surtout à des curiosités
anecdotiques, de ne pas avouer que l'intérêt de ces dernières
œuvres, dans leur ensemble, est assez médiocre ; les plus belles
pièces de cette époque, d'ailleurs, quoique publiées après 1880,
ont été généralement composées dans la période antérieure.

E. Lepelletier dit que le talent de Verlaine « fit naufrage » vers 1889 (*P. Verlaine*, p. 524) ; le mot est un peu gros, mais il traduit bien une impression de tristesse et de déception que donnent, et même avant cette date, tant de pièces de vers trop faciles, trop filandreuses, trop monotones. Les lecteurs les plus passionnés de Verlaine, ceux qui aiment tout dans les *Fêtes Galantes*, dans *Sagesse*, dans les *Romances sans paroles*, sont obligés de se faire à eux-mêmes une brève anthologie de tout le reste de l'œuvre.

Verlaine publia d'abord dans *Jadis et Naguère* (1884) des poésies de dates plus ou moins anciennes et qui, à cause de leur inspiration, n'avaient pu prendre place dans *Sagesse*. *Parallèlement* (1889) renferme aussi beaucoup de ces pièces d'autrefois. Puis ce furent *Amour* (1888) ; *Dédicaces* (1890); *Femmes* (1890) ; — auxquelles il faut ajouter *Hombres* (1904), deux livres « imprimés sous le manteau », et que n'ont pu recueillir les *Œuvres complètes*, mais seulement la *Trilogie érotique* (1907) ; — *Bonheur* et *Chansons pour elle* (1891) ; *Liturgies intimes* (1892); *Élégies* et *Odes en son honneur* (1893) ; *Dans les limbes* et *Épigrammes* (1894) ; puis des recueils posthumes : *Chair* et *Invectives* (1896) ; *Biblio-Sonnets* (1913).

De cette époque datent aussi la plupart des œuvres en prose de Verlaine : les *Poètes maudits* (1884) ; *Louise Leclercq* (1886) ; les *Mémoires d'un veuf* (1886) ; *Mes hôpitaux* (1891) ; *Mes prisons* (1893); *Quinze jours en Hollande* (1893); *Confessions* (1895). Leur intérêt n'est guère que biographique.

Si l'on se borne aux recueils de vers des quinze dernières années, on s'avise tout de suite, et par une simple constatation statistique, que Verlaine a bien mal tenu la promesse de *Parallèlement* : les deux inspirations, la païenne et la pieuse, entre lesquelles il avait le dessein de se partager, n'ont point été également dotées. Sur treize recueils de vers qui se suivent, à partir d'*Amour* (1888), on peut en compter trois qui sont d'intentions à peu près catholiques, et une dizaine tout donnés à l'exaltation de la chair.

Les poèmes d'*Amour*, de *Bonheur* et de *Liturgies intimes* ne nous permettent que rarement d'assister à ces beaux envols de foi et d'amour divin qui avaient transporté le poète, au temps où il composait *Cellulairement*. Les vers pieux de Verlaine, ce sont maintenant des exercices écrits avec beaucoup d'application sur des thèmes fournis |par le catéchisme ou d'humbles livres de prière ; ce sont les protestations d'une foi qui se veut sans nuances, et toute des incérité bonhomme ; — des cantiques où le poète recommande au fidèle de bien écouter le sermon du curé et de bien faire sa prière à l'église ; — des protestations contre les mœurs de la France du jour, qui devient athée, et contre le gouvernement de la République qui a voulu rogner la part de l'Église dans la vie moderne ; — enfin, et surtout, des confessions où le poète étale ses fautes, dit sa lutte, sans courage et trop souvent malheureuse, contre le péché, puis se pardonne à lui-même, grâce à son repentir. La langue est volontairement cahotée, encombrée, selon la mode d'alors, de mots plus ou moins moyenâgeux. Bien peu d'effets rythmiques dans ces pièces que le poète conçoit sans ornements, et parées seulement des sentiments de bonne volonté et d'humilité qui les inspirèrent.

L'inspiration sensuelle est bien autrement abondante et riche. Là Verlaine retrouve son goût ancien d'écrire et son amour pour les virtuosités de mots et de rythmes. Beaucoup de ces pièces sont fort réalistes, et parfois elles glissent vers la poésie purement érotique, celle qui « ne se vend nulle part » ; sans retenue, cet homme vieilli, qui sent que la vie, ou du moins les possibilités de jouir de la vie, vont lui manquer bientôt, rumine les grosses joies qu'il a senties, les décrit, les regrette et en convoite d'autres. A ces moments-là, il oublie tout à fait son vœu d'être chrétien, il jure comme le pire des païens, il est « scandaleux sans plus se gêner » (t. II, p. 333) ; et s'il évoque l'image de la Vierge Marie, tant vénérée en d'autres vers, c'est pour la muer en la personne, très terrestre, d'une des « chères amies ».

> J'attends, quand ma journée est faite, ta venue !
> Et tu viens, puissante et souriant, devenue
> Une apparition presque à mon cœur tout coi,
> Tout extasié,
>   car Notre-Dame, c'est toi.
>   (T. III, p. 47.)

Tout cela crée une singulière atmosphère ; et encore les recueils séparent-ils artificiellement les deux inspirations, qui furent
vraiment tout emmêlées l'une et l'autre. En 1885, aux premiers
temps du symbolisme, c'est ainsi surtout que l'on vit et que l'on
aima Verlaine. Les auteurs des *Déliquescences d'Adoré Floupette*,
où Verlaine paraît sous le nom de « Bleucoton », poussèrent leur
parodie de ce côté-là surtout. La pièce *Remords* raille vivement
le singulier catholicisme de l'auteur de *Parallèlement* :

> C'est vrai pourtant, je suis un mécréant.
> J'ai fait bien souvent des cochonneries.
> Mais, ô Reine des Étoiles fleuries,
> Chaste lys ! prends en pitié mon Néant !
> Si, tous les huit jours, je te paie un cierge,
> Ne pourrais-je donc être pardonné ?
> Je suis un païen, je suis un Damné,
> Mais je t'aime tant, Canaille de Vierge !

Tous les recueils qui suivirent, jusqu'à la mort du poète, semblent avoir été écrits pour montrer, non pas l'exactitude, mais
la vraisemblance de cette caricature.

IV. — *La mort.*

Puisse un prêtre être là, Jésus, quand je mourrai !
(T. II, p. 237.)

La pensée de la mort prochaine revient assez souvent dans
les vers de ces dernières années. La santé de Verlaine devenait
si misérable en effet que l'issue ne pouvait guère tarder à s'ouvrir subitement. Ce fut une bronchite qui l'emporta ; elle était
ancienne ; des hivers successifs, péniblement supportés, avaient
laissé le poète sans défense ; il ne put dépasser le milieu de
l'hiver 1895-1896 ; une congestion pulmonaire le délivra le 8
janvier 1896. Il n'eut point la mort qu'il avait souhaitée, calme,
bien ordonnée, avec l'assistance d'un prêtre. La maison était
momentanément sans argent ; le secours qu'on avait demandé
au Ministère de l'Instruction publique n'arriva que pour aider

à payer les obsèques. La compagne, brutale, comme elle l'était parfois, querella le mourant et l'abandonna ; une révolte de son agonie le jeta sur le plancher. Claudel a évoqué de façon exacte et émue cette mort et a voulu lui donner un sens profond :

Privation de la terre et du ciel, manque des hommes et manque de Dieu !
Jusqu'à ce que le fond même de tout, il te fût permis d'y mordre,
D'y mordre et de mourir dessus cette mort qui était selon ton ordre,
Dans cette chambre de prostituée, la face contre terre,
Aussi nu par terre que l'enfant quand il sort nu du ventre de sa mère.

Le faire-part porta le nom de Georges Verlaine, le fils que le père, autrefois, avait souhaité d'avoir près de lui pour diminuer l'horreur du dernier moment ; mais le fils, trop lointain, et mal prévenu, ne put venir. Le 10 janvier 1896, après un service funèbre à Saint-Étienne-du-Mont, les amis de Verlaine conduisirent son corps au cimetière des Batignolles ; Maurice Barrès, Coppée, Mendès, Mallarmé, Moréas parlèrent devant la fosse ; ils exaltèrent l'ami mort ; surtout ils exaltèrent la poésie et la jeune littérature, dont ils étaient comme les mandataires. Et, dès le lendemain, ils firent le projet d'élever un monument au poète, afin de fixer, suivant les rites ordinaires, cette gloire dont la mort permettait de faire une dévotion pour plusieurs générations à venir. Cinq ans après, en mai 1901, on inaugura, dans le jardin du Luxembourg, au milieu du quartier le plus aimé et le plus habité par le poète, un buste discret, qui, sans choquer, a pris place parmi les grands arbres et les pelouses. L'image est celle de Verlaine, au temps de ses dernières années, celle d'un faune qui nerait triste ; sur la haute stèle qui supporte le buste, trois corps sus symbolisent les principales inspirations du poète : le charme équivoque de la jeunesse, l'ivresse de la bacchante, la sagesse chrétienne.

CHAPITRE IX

LA SENSIBILITÉ DE VERLAINE

I

Si l'on résume en de brèves indications de dates une étude chronologique de l'œuvre de Verlaine, on a, à peu près, les données suivantes : dix années de belle production poétique, de 1865 à 1875, puis, dans les vingt années qui suivent, la sève perd de sa vigueur, l'inspiration se ralentit ; bientôt apparaissent les marques d'une vieillesse précoce. Plus précisément, on peut tracer une espèce de ligne d'évolution ; Verlaine débute à la plus belle heure du Parnasse ; et il s'éclaire d'abord à la lumière des maîtres d'alors, de Leconte de Lisle, de Baudelaire surtout ; il suit les diverses inspirations du jour ; sa fantaisie personnelle le conduit vers un thème nouveau, une interprétation assez originale de l'art de Watteau. Puis il fait rencontre du plus suggestif des poètes de la fin du XIXe siècle, et il subit fortement son influence ; grâce à lui, il s'affranchit tout à fait du Parnasse ; sujets, rythme des vers, prosodie, il semble qu'il va tout renouveler. Mais une longue crise de silence et de fatigue arrête son ardeur ; et il n'emploie plus guère son habileté et ses nouvelles habitudes de poète qu'à conter inlassablement les bonnes et les mauvaises heures d'une destinée bizarre et pittoresque, qui le rend vite insoucieux de toute grande ambition d'art.

Cette ligne d'évolution est si nettement marquée par les principaux événements de la vie du poète et par le sens de ses œuvres successives que lui-même il l'a tracée ainsi dans une conférence sur les poètes contemporains, recueillie dans les *Œuvres posthumes* (t. II, p. 388).

Une évolution aussi bien marquée que celle de Verlaine a évidemment quelque valeur pour expliquer le poète, et nous le faire connaître plus intimement. Mais, comme toutes les explications d'ordre historique, elle est vraiment insuffisante : elle rend assez bien compte des différences qui séparent les parties de l'œuvre ; elle permet de comprendre comment l'homme et le poète, assez faibles de caractère tous deux, se sont profondément modifiés sous la pression des circonstances ; mais elle laisse échapper l'essentiel. A toutes les époques de cette vie diverse, dans toutes les parties de cette œuvre qui semble, d'abord, rendre de multiples sons, il y a un fond commun ; on retrouve le même Verlaine toujours, soit qu'on évoque l'image du jeune mari amoureux ou bien celle de l'ami de Rimbaud, la figure du converti de Mons et celle du bohème vieillissant ; *la Bonne Chanson*, *Sagesse* et *Chansons pour elle* ont des traits semblables qui les apparentent assez étroitement. Il faudrait pouvoir définir ce fond commun, analyser la sensibilité de Verlaine. Mais ce sont là des tâches dont on ne saurait s'acquitter parfaitement, tant elles sont difficiles et n'admettent que des conclusions incertaines. On doit se borner, honnêtement, à rassembler quelques-uns des éléments de cette analyse et de cette définition.

Il s'est trouvé pourtant, il y a vingt-cinq ans, du vivant de Verlaine, un homme pour donner cette définition et pour la croire complète, indiscutable, fondée en vraie science. C'est un médecin autrichien qui eut cette audace, bien caractéristique des ingénuités du positivisme à la fin du XIXe siècle. Max Nordau, qui fut célèbre un temps et vient de mourir bien oublié, avait été enthousiasmé par les théories de Lombroso sur la criminalité considérée comme une forme de maladie ; du mot *dégénérescence* il fit une sorte de fétiche. D'autre part, Nordau, qui avait l'esprit diversement curieux, s'intéressait aux manifestations les plus récentes de l'art et de la littérature en France. Il fut frappé de la sympathie de quelques groupes d'intellectuels pour les anarchistes, alors en pleine fureur d'attentats. Il eut la révélation soudaine d'une espèce de parenté entre le mot *décadence* qui prétendait définir l'esprit du temps, et le mot *dégénérescence*, qui

désignait une maladie. Tout un système était enclos dans cette
vue, et Nordau en développa rigoureusement les conséquences
dans un volume qu'il intitula de façon provocante : *Dégénérescence* (traduction française, 1894). Une enquête rapide, où il fut
quelquefois, semble-t-il, la victime de mauvais plaisants ingénieux, lui permit vite de vérifier et d'étayer son système. Il
affirma, sans précautions de mots, que « les écrivains et les artistes présentent les mêmes traits intellectuels, — et le plus souvent
aussi somatiques, — que les membres de la même famille anthro-
pologique qui satisfont leurs instincts malsains avec le surin de
l'assassin ou la cartouche du dynamiteur, au lieu de les satisfaire
avec la plume et le pinceau ». Quant aux admirateurs des artistes
et des poètes décadents, ils étaient accusés d'aimer « les manifestations de la folie morale, de l'imbécillité et de la démence plus ou
moins caractérisées ». Le portrait de Verlaine, — morceau capital
du livre, — tint les promesses de ce beau début. Nordau retrouva
chez le poète tous les stigmates physiques et intellectuels de la
dégénérescence. Voici d'ailleurs le résumé de son diagnostic :

Nous voyons un effrayant dégénéré au crâne asymétrique et au visage
mongoloïde, un vagabond impulsif et un dipsomane qui a subi la prison pour
un égarement érotique ; un rêveur émotif, débile d'esprit, qui lutte douloureusement contre ses mauvais instincts et trouve dans sa détresse parfois
des accents de plainte touchants, un mystique dont la conscience fumeuse
est parcourue de représentations de Dieu et des saints, et un radoteur dont
le langage incohérent, les expressions sans signification et les images bigarrées révèlent l'absence de toute idée nette dans l'esprit. Il y a dans les asiles
d'aliénés beaucoup de malades dont le délabrement intellectuel n'est pas
aussi profond et incurable que celui de ce « circulaire » irresponsable, que,
pour son malheur, on laisse aller librement, et que seuls ont pu condamner,
pour ses fautes épileptiques, des juges ignorants. (*Dégénérescence*, t. I, pp. 228
et 229.)

Verlaine, fort spirituellement, se contenta de protester contre
la partie de ce dur jugement qui le déclarait laid !

Il est bien inutile, aujourd'hui, de souligner l'outrance ridicule
de pareilles affirmations. Elles n'expliquent rien d'ailleurs ; ce
sont des étiquettes passe-partout que l'on s'est borné à poser,
suivant la mode scientifique du jour, par-dessus les anciennes
étiquettes, devenues ternes par le trop d'usage qu'on en avait

fait. Tout récemment on a tenté de recommencer ce travail, avec moins de superbe. Le Dr Cordier-Delaporterie a pris Verlaine comme sujet de sa thèse de doctorat en médecine (*Étude médico-psychologique sur Paul Verlaine* (1844-1896). *Alcoolisme et génie*, 1922) ; il s'est borné à rechercher l'influence qu'eut l'alcool sur le génie et l'œuvre de Verlaine. Son livre donne l'idée d'une de ces consultations par correspondance, sans examen direct du malade, où le médecin est prié de se prononcer sur la foi de renseignements pour la plupart douteux. Verlaine est défini, cette fois, un « dipsomane paroxystique », mort de « cirrhose alcoolique » ; il aurait souffert, sa vie durant, d'une « polynévrite alcoolique », qui aurait eu pour conséquence une « hyperesthésie sensorielle », la perversion sexuelle et une certaine anesthésie morale. La critique littéraire venant alors se mélanger avec l'analyse médicale, les impropriétés de mots qui choquent l'auteur de cette thèse dans l'œuvre de Verlaine, l'absence d'imagination créatrice qu'il note en lui, le fonctionnement bizarre de l'association des idées chez le poète, tout cela, et bien d'autres choses encore, se trouve expliqué par les effets ordinaires de l'alcool. Il se peut ; mais le simple lecteur, qui a ouvert ce livre par curiosité de mieux connaître Verlaine, le ferme sans en avoir tiré vraiment du profit.

Ces deux tentatives inspirent une grande défiance à l'égard des explications littéraires de l'ordre médical. Ce n'est d'ailleurs que l'insuffisance actuelle de la recherche scientifique en ces matières qui nous oblige à ne point satisfaire une curiosité, fort légitime en soi. Il y a évidemment à noter chez Verlaine des tendances anormales, ou du moins peu normales, qui correspondent en gros à des formes connues et classées de sensibilité malade. Pour se tenir sur le terrain qu'il est le plus facile de connaître, le goût de l'alcool a certainement bouleversé l'existence du poète ; il ne se peut pas que sa vision de l'univers et sa puissance d'expression n'aient pas été atteintes. Son *Art Poétique* annonciateur d'une nouvelle esthétique, assez personnelle, a été écrit au sortir d'une des périodes de sa vie où, en compagnie de Rimbaud, il but le plus. Entre les accès de pure et dramatique ivresse, Verlaine

vivait des jours entiers, souvent, dans une demi-ivresse, qui enveloppait toutes ses représentations du monde dans un rêve doucement heureux ou légèrement triste, plus souvent triste qu'heureux ; les images du dehors lui arrivaient après avoir traversé ce
nuage confus et légèrement doré, effrayantes ou drôles, plus étrangement belles aussi parfois qu'elles ne l'étaient. Renan, qui certes
ne songeait point à Verlaine, a parlé de certaines folies bretonnes,
très douces, où il voyait « un état intermédiaire entre l'ivresse et
la folie, qui n'est souvent que l'erreur d'un cœur inassouvi » ;
ces jolis mots, à condition que l'on en fasse pencher le sens du
côté de l'ivresse, et point vers la folie, caractériseraient assez
bien certaines des heures troubles de Verlaine et quelques-uns
de ses plus beaux poèmes.

Verlaine, lui-même, dans des vers écrits en 1874, pendant la
période *sèche* de son temps de prison, a dit quelque chose de cette
puissance poétique de l'alcool :

> Être soûl, vous ne savez pas quelle victoire
> C'est qu'on remporte sur la vie, et quel don c'est !
> On oublie, on revoit, on ignore et l'on sait ;
> C'est des mystères pleins d'aperçus, *c'est du rêve*
> *Qui n'a jamais eu de naissance et ne s'achève*
> *Pas, et ne se meut pas dans l'essence d'ici ;*
> C'est une espèce d'autre vie en raccourci,
> Un espoir actuel, un regret qui « rapplique ».
> Que sais-je encore ? Et quant à la rumeur publique,
> Au préjugé qui hue un homme dans ce cas,
> C'est hideux, parce que bête et je ne plains pas
> Ceux ou celles qu'il bat à travers son extase,
> O que nenni !
>   (T. I, p. 423.)

Mais quand on a cité ces vers, quand on a parlé, comme Verlaine,
de *rêve*, d'*autre vie*, on a tout dit, ou à peu près, de ce qu'il paraît
possible de dire. Les correspondances réelles entre l'effet de l'alcool
sur un corps de brute et ses effets sur les sens et l'esprit d'un poète
ne sont point établies. Vouloir expliquer Verlaine par l'alcoolisme,
c'est se montrer aussi ingénu que de commenter *Salammbô* et
Mme Bovary en parlant de « l'hystéro-épilepsie » de Flaubert !
Nous serons beaucoup plus humble en notre dessein. Nous

tâcherons de discerner, dans la suite des œuvres de Verlaine, les
tendances les plus originales, celles qui n'appartiennent qu'à lui ;
nous laisserons tout ce qui le rapproche de ses contemporains,
et aussi tout ce qu'il n'a été qu'exceptionnellement ; nous négli-
gerons celles de ses œuvres dont la valeur artistique est moindre.
Ce sera certes une image fragmentaire que nous obtiendrons
ainsi ; du moins pourrons-nous peut-être, non pas expliquer,
mais définir partiellement le sens de l'épithète *verlainienne*, qui
est maintenant reçue, et si caractéristique, pour désigner une
des formes les plus curieuses de la sensibilité poétique à la fin
du xixe siècle.

II

On souhaiterait d'être aidé, dans cette recherche, par le poète
lui-même. Souvent les écrivains, une fois leur manière bien accu-
sée par l'âge et le succès, aiment à se définir, à préciser la nuance
de leur sensibilité, leurs préférences parmi les spectacles que donnent le monde et l'humanité. Or, il est facile de constater que de
tels regards critiques sur soi-même, on peut en noter fréquemment
dans les dernières œuvres de Verlaine ; sans cesse, le poète dit
son désir de sincérité, son goût de la naïveté. Presque rien, au
contraire, dans les premiers recueils, aux belles époques de la
production poétique. On peut cependant relever quelques indications, qui sont d'utiles avertissements.

Les préférences de Verlaine, dans le temps même où il était
surtout un disciple très adroit, sont fort nettes. Parmi les thèmes
parnassiens selon la mode de 1865, il s'attache surtout aux
expressions du spleen baudelairien, mais il a déjà sa note personnelle : il aime à nuancer l'expression de tristesses irraison-
nées, où l'on croit deviner le sentiment de la distance qu'il y a
entre les désirs de l'esprit et des sens et les possibilités de la vie,
— et aussi une certaine fatigue physique, une sorte d'impuissance
à réaliser un idéal de joie rêvé trop haut. C'est dans les *Fêtes
Galantes* que ce trait se marque le mieux ; les divers poèmes de
ce charmant petit livre évoquent des heures gaies ou heureuses,

des gestes et des refrains de fête, mais la scène est presque toujours
baignée dans la lumière d'un clair de lune mélancolique ; les
personnages, malgré leurs clairs costumes, malgré les musiciens
qui les accompagnent, malgré la beauté des grands arbres complices, ne sont pas contents de leurs joies, trop faciles ; ils ne
sont pas « sûrs de leur bonheur ». Et ce n'est pas là, comme pour
les poèmes hindous ou les récits d'ancienne histoire, seulement
l'adroite exploitation d'un thème à la mode. Dès ses premiers
vers, en s'affirmant « saturnien », Verlaine a noté ce qu'il voyait
le plus clairement en lui : une imagination « inquiète et débile »,
un goût compliqué de la mélancolie, l'obligation d'obéir à des
forces sourdes qui sans cesse l'invitaient à détruire son propre
bonheur.

Les poésies les plus heureuses, les plus originales de Verlaine,
dans ses premiers recueils, ce sont des « paysages tristes » ; ses
poèmes les plus personnels, ce sera bientôt ces paysages d'Angleterre et de Belgique, que les malheurs commençants de son existence l'ont aidé à teinter d'une si émouvante mélancolie.

Peut-on dire les paysages qu'il préfère, comme permettant
le mieux ces correspondances sentimentales ? Le poète, si discret
à l'ordinaire dans l'expression de ses préférences artistiques, a
affirmé plusieurs fois, avec une absolue netteté d'expression, qu'il
n'aimait point les paysages éclairés d'une lumière qui les dessine
trop bien.

Moi, du Nord, j'admire, j'aime peu le soleil, il me cause des nausées, il
m'étourdit, m'AVEUGLE et je lui préfère absolument
« *L'hiver lucide* »
comme mon cher grand Stéphane Mallarmé.
(T. IV, p. 401.)

Il fait un de ces temps ainsi que je les aime,
Ni brume, ni soleil ! le soleil deviné,
Pressenti, du brouillard mourant dansant à même
Le ciel très haut qui tourne et fuit, rose de crème ;
L'atmosphère est de perle et la mer d'or fané.
(T. II, p. 17.)

Le ciel était trop bleu, trop tendre,
La mer trop verte et l'air trop doux.
(T. I, p. 183.)

Voilà qui caractérise sommairement une préférence générale,
assez rare parmi les poètes de France, du moins ceux de tradition
parnassienne, que hanta la vision idéale du clair paysage médi-
terranéen. Une revue des paysages chers à Verlaine va nous
permettre de préciser cette indication.

Il aime les paysages d'hiver, très mal éclairés :

> Dans l'interminable
> Ennui de la plaine,
> La neige incertaine
> Luit comme du sable.
>
> Le ciel est de cuivre
> Sans lueur aucune,
> On croirait voir vivre
> Et mourir la lune.
>   (T. I, p. 163.)

les chutes de neige au soir :

> La neige tombe à longs traits de charpie
> A travers le couchant sanguinolent.
>   (T. I, p. 277.)

les sous-bois nocturnes,

> Que caresse le clair de lune blême et doux.
>   (T. I, p. 318.)

les soirs surtout, « les soirs équivoques d'automne », où la lumière
semble défaillir :

> Des collines et des rampes
> Dans un demi-jour de lampes
> Qui vient brouiller toute chose,
> ....
> ....tant s'effacent
> Ces apparences d'automne.
>   (T. I, p. 170.)

Et le mot même d'automne appelle tout naturellement comme
rimes les mots *monotone*, émois d'une âme qui *s'étonne*,... ainsi
que les sentiments qui correspondent. Toutes les *Fêtes Galantes*

sont teintées de cette lumière de saison finissante et de soirs
mélancoliques.

Pareillement, et toujours dans le même ordre de goûts, Verlaine
décrit volontiers une étendue de campagne qui, au petit matin,
peu à peu affirme ses lignes hors de la nuit et de la brume :

> La nuit rêveuse, bleue et bonne,
> Pâlit, scintille et fond dans l'air,
> Et l'ouest dans l'ombre qui frissonne
> Se teinte au bord de rose clair.
>
> ....
>
> Le bruit des choses réveillées
> Se marie aux brouillards légers
> Que les herbes et les feuillées
> Ont subitement dégagées.
>
> L'aspect vague du paysage
> S'accentue et change à foison.
> La silhouette d'un village
> Paraît.
>
> (T. I, p. 371.)

Soleil couchant, forêt sous la nuit, ciel noir coupé par la pluie,
brouillard de Londres..., que de tableaux pareils l'on pourrait
encore découper dans l'œuvre et réunir en une espèce de salle
idéale de musée, pour montrer chez le poète, non pas comme chez
Turner, l'emprise de plus en plus impérieuse d'un grand rêve de
lumière, mais, au contraire, les progrès d'un goût très fort pour
l'ombre et le demi-jour ! Il est indéniable que Verlaine a aimé
d'une préférence décidée d'homme du Nord les paysages sans
lumière, où les lignes s'estompent, où les masses et les accidents,
à peine silhouettés, perdent leur caractère ; par transitions insen-
sibles, la vision réelle de ce paysage choisi peut, dans une imagination complaisante, devenir une vision fantomatique, une
espèce de rêve.

Or, précisément, Verlaine semble goûter profondément la
jouissance du rêve ; du moins il rêve souvent et volontiers. Il
a décrit dans ses *Mémoires d'un veuf*, quelques-uns de ses rêves
(t. IV, p. 177 ; voir aussi *Œuvres posthumes*, t. I, p. 306) ; et

l'on ne s'étonne point que ces paysages de ses nuits, souvenirs
des réalités du jour, soient singulièrement semblables, par
moments, à ceux qu'enferment les recueils de vers. Le poète
brouille d'ailleurs, dans ses propos, les uns avec les autres ; à
l'occasion, il présente ses vers comme

> Un vol de rêves
> D'un malade dans les brèves
> Fleurs vagues de ses rideaux,
> .... petites
> Mouches de mes soleils noirs
> Et de mes nuits blanches.....
> ....
> Allez, *aegri somnia.*
>   (Prologue de *Jadis et Naguère*, t. I, p. 299.)

Réalité, rêve, hallucination de l'ivresse, cauchemar..., ce ne
sont point, toujours, chez Verlaine, des états de sensibilité, très
fortement différenciés, mais bien des stations, assez voisines,
d'une même route, souvent parcourue. La réalité se brouille
facilement en un rêve ; le rêve semble réel ; les événements vrais
de la vie se transforment, de façon inattendue, dans un esprit
qui sans cesse ressasse ses malheurs, qui ne voit pas leur vraie
signification, et qui, pour oublier, volontiers se laisse aller à un
demi-sommeil, ou bien choisit d'être ivre... Et l'on est vite engagé
à penser qu'il y a dans cette aptitude spéciale une des caractéristiques essentielles de la sensibilité verlainienne. Ce n'est point
la rêverie romantique, un vagabondage de l'esprit par delà les
possibilités, en dehors du temps et de l'espace ; c'est un pouvoir
singulier de transformer la réalité, de déplacer les perspectives
et de modifier les rapports des choses. A l'extrême de cette
tendance de l'imagination il y a le symbolisme et ses manifestations les plus secrètes : Verlaine s'y est laissé aller quelquefois,
et dès ses premiers recueils, en un temps où cette manière de voir
le monde des apparences n'était pas encore devenue une mode.
Reprenons la revue des paysages verlainiens, et passons de la
petite salle des esquisses d'après nature à la grande salle des
paysages rêvés. A l'entrée, — nous les connaissons déjà, — sont

les pièces inspirées par les vieilles chansons populaires, avec leurs
personnages falots, qu'il suffit de nommer pour évoquer tout un
passé incertain et bizarre : Jean de Nivelle, la mère Michel, Médor,
Angélique Lustucru, François-les-bas-bleus, d'autres encore.
Toutes ces histoires se brouillent en une douce « magie », dont le
poète sait le charme très sûr (t. I, p. 324).

> La Belle au Bois dormait, Cendrillon sommeillait.
> Madame Barbe-Bleue ? elle attendait ses frères ;
> Et le Petit Poucet, loin de l'ogre si laid,
> Se reposait sur l'herbe en chantant des prières.
>
> L'oiseau couleur-de-temps planait dans l'air léger
> Qui caresse la feuille au sommet des bocages
> Très nombreux, tout petits, et rêvant d'ombrager
> Semaille, fenaison et les autres ouvrages.
>
> Les fleurs des champs, les fleurs innombrables des champs,
> Plus belles qu'un jardin où l'homme a mis ses tailles,
> Ses coupes et son goût à lui, — les fleurs des gens ! —
> Flottaient comme un tissu très fin dans l'or des pailles,
>
> Et fleurant simple, ôtaient au vent sa crudité,
> Au vent fort, mais alors atténué de l'heure
> Où l'après-midi va mourir................
>
> ....
>
> Peau-d'Ane rentre. On bat la retraite — écoutez ! —
> Dans les états voisins de Riquet-à-la-Houppe,
> *Et nous joignons l'auberge, enchantés, esquintés,*
> *Le bon coin où se coupe et se trempe la soupe !*
>
> (T. II, p. 90.)

Les deux derniers vers, si précis, si réalistes, ne font que souligner ce rêve exquis d'une extrême fin d'après-midi, où le tableau
vrai ne se figure qu'à travers un tableau de légende. — La vision
amusante de chevaux de bois, qui, sur un champ de foire, font
tourner « le gros soldat, la plus grosse bonne », se spiritualise
dès que le jour cesse d'éclairer la scène ; ce tournoiement joyeux
et grotesque s'accompagne alors d'une musique de fête et d'un
hymne d'amour ; le bon soldat et sa grosse amie sont soudain
magnifiés :

Et dépêchez, chevaux de leur âme :
Déjà voici que la nuit qui tombe
Va réunir pigeon et colombe
Loin de la foire et loin de Madame.

Tournez, tournez ! Le ciel en velours
D'astres en or se vêt lentement.
Voici partir l'amante et l'amant.
Tournez au son joyeux des tambours.

(T. I, p. 174.)

Voici maintenant des paysages, non pas transformés par le rêve, mais créés par l'état d'âme du poète. *Kaléidoscope* est bien typique (t. I, p. 303). Dans sa cellule de prison, à Bruxelles, Verlaine rêve ; il imagine une « ville magique » de joie et de liberté, une fête populaire ; la vision est d'abord rudimentaire et confuse ; à mesure qu'elle se forme, elle est traversée par des « correspondances » que créent la tristesse et la dépression du malheureux ; c'est bien les rêves d'un souffrant, que sa douleur éveille, qui réussit à reprendre son rêve ; à la fin, il ne sait plus s'il veille ou s'il dort.

DANS UNE RUE AU CŒUR D'UNE VILLE DE RÊVE,
Ce sera comme quand on a déjà vécu :
Un instant à la fois très vague et très aigu...
O ce soleil parmi la brume qui se lève !

DANS CETTE RUE AU CŒUR DE LA VILLE MAGIQUE,
OU DES ORGUES MOUDRONT DES GIGUES DANS LES SOIRS,
OU LES CAFÉS AURONT DES CHATS SUR LES DRESSOIRS
ET QUE TRAVERSERONT DES BANDES DE MUSIQUE.

Ce sera si fatal qu'on en croira mourir :
. . . .
LES BRUITS AIGRES DES BALS PUBLICS ARRIVERONT,
. . . .
QUELQUE FÊTE PUBLIQUE ENVERRA DES PÉTARDS.

Ce sera comme quand on rêve et qu'on s'éveille,
Et que l'on se rendort et que l'on rêve encor
De la même féerie et du même décor,
L'été, dans l'herbe, au bruit moiré d'un vol d'abeille.

Pareilles sont les visions d'un intérieur « allégorique », habité par une « apparition bleue et blanche de femme » (t. I, p. 305),

les hallucinations d'un vagabondage en pleine ivresse, à travers
les rues d'une médiocre bourgade (t. II, p. 169), une image de
Londres, au soir, qui s'évanouit à travers le brouillard et la
douleur du poète (t. I, p. 308). La plus caractéristique de ces
sortes de pièces, — non pas la plus heureuse comme exécution, —
est celle qui a pour titre *Mains* (t. II, p. 186) : Verlaine regarde
ses mains, les décrit ; peu à peu ces mains prennent des « airs
spécialement rêches », elles font une « sinistre grimace » ; elles
vivent d'une vie fantomatique, libérées vraiment du corps du
poète ; il en a peur, alors, comme d'un *Autre* qui serait méchant :

> J'ai peur à les voir sur la table
> Préméditer là sous mes yeux,
> Quelque chose de redoutable,
> D'inflexible et de furieux.
>
> La main droite est bien à ma droite,
> L'autre à ma gauche, je suis seul.
> Les linges dans la chambre étroite
> Prennent des aspects de linceul.
>
> Dehors le vent hurle sans trêve,
> Le soir descend insidieux...
> Ah ! si ce sont des mains de rêve,
> Tant mieux, — ou tant pis, — ou tant mieux !

Un pas encore, et nous sommes presque au bout de la salle,
devant une image émouvante (*Un veuf parle*, t. II, p. 30) ; ce
n'est pas un événement réel, cette fois, qui donne l'impulsion
première ; c'est le rêve qui fait l'image. Dans une crise de larmes,
Verlaine voit apparaître les figures de sa femme et de son fils ;
les deux images aimées sont, parmi ces larmes, comme « un groupe
sur la mer », et les yeux du père, pleins de désirs et de regrets;
« sont deux étoiles sur la mer » ; ils vont guider les naufragés
« sur cette mer de bonnes larmes ». Rêve ?... Allégorie ?... C'est
une espèce de symbole, auquel il ne faudrait enlever que bien
peu de mots, et son titre d'abord pour qu'il devînt tout à fait
mystérieux. Déjà, en feuilletant les premières œuvres du poète,
nous avons rencontré plusieurs de ces visions de rêve subtilisées
jusqu'au symbole.

III

Ces quelques fragments, choisis parmi les pièces de vers les
plus significatives, suffisent à avertir de l'importance de ce goût
du rêve entre toutes les manifestations de la sensibilité de Verlaine, un rêve tantôt très doux et tantôt agité et triste, suivant
les heures diverses de sa vie. Il y a bien des chances pour qu'une
anthologie où l'on ne choisirait que les pièces inspirées par ce
thème, contienne la meilleure partie de son œuvre, la plus sugges-
tive, la plus musicale.

En lui la sensation du moment s'affirmait toujours toute-puissante, qu'elle restât une simple représentation de l'esprit ou qu'elle
devînt un principe d'action. Cette sensation n'était pas forcément
alanguie ou atténuée par le rêve : Verlaine avait ses heures de
violence, des crises de sens débridés qui l'emportaient vers l'objet
de ses désirs, vers son idéal amoureux de l'heure, quel qu'il fût.
Plusieurs fois, ces violences subites de faune enivré furent un
désastre dans sa vie, le hasard ayant voulu qu'elles eussent pour
spectateurs des témoins légaux ou des ennemis ; elles aidèrent
à briser son mariage ; elles le menèrent en prison ; mais combien
de fois éclatèrent-elles sans dommage pour lui ni pour personne !
Toujours, il s'abandonna à l'impulsion que donne l'appétit du
moment.

> J'ai la fureur d'aimer. Mon cœur si faible est fou.
> N'importe quand, n'importe quel et n'importe où,
> Qu'un éclair de beauté, de vertu, de vaillance
> Luise, il s'y précipite, il y vole, il s'y lance,
> Et, le temps d'une étreinte, il embrasse cent fois
> L'être ou l'objet qu'il a poursuivi de son choix.
> . . . .
> J'ai la fureur d'aimer. Qu'y faire ? Ah ! laisser faire.
>   (T. II, p. 80.)

De cette « fureur d'aimer », détournée sur des « êtres » et des
« objets » bien communs, la plus grande partie des recueils de
Verlaine, dans ses dernières années, porte témoignage. Mais on la
sent déjà dans les poésies les plus anciennes de *Jadis et Naguère*

et de *Parallèlement*, dans *Sagesse* aussi. Ses crises d'amour humain
et divin se ressemblent par leur emportement et leurs brusques
sursauts. Il est bien remarquable que le poète emploie volontiers
les mêmes mots pour exprimer l'ardeur qui le porte vers les
« chères amies », vers le souvenir de Rimbaud, vers la pensée de
Dieu.

Mais ces moments de violence n'étaient que des moments.
Après la satisfaction des sens ou de l'imagination, il y avait une
crise de dépression ; vite, Verlaine, même après s'être montré
menaçant, avait besoin de se sentir consolé, protégé, dirigé ; il
s'avouait alors très faible ; et c'est là, sans doute, ce qu'il voulait
dire en écrivant à son jeune ami Cazals qu'il était « un féminin », —
« ce qui expliquerait bien des choses », ajoutait-il. Dès les *Poèmes
saturniens*, il avait dessiné « son rêve familier » : une épaule où reposer
sa tête, après l'émoi, des bras berceurs, une main qui rafraîchit
les moiteurs d'un front fiévreux (t. I, p. 15). Et c'est ainsi qu'il
s'imagine, après le premier moment de passion qui l'a emporté,
auprès de la femme la plus chérie, auprès de l'ami préféré :

> Le bonheur de saigner sur le cœur d'un ami,
> Le besoin de pleurer bien longtemps sur son sein,
> Le désir de parler à lui, bas à demi,
> Le rêve de rester ensemble sans dessein !
>
> (T. II, p. 160.)

auprès de Dieu même :

> un jour pouvoir la retrouver
> Dans votre sein, sur votre cœur qui fut le nôtre
> La place où reposa la tête de l'Apôtre.
>
> (T. I, p. 257.)

Ainsi enveloppé, il pouvait oublier l'orage récent de la passion
et des sens, oublier la réalité, et recommencer quelques-uns de ces
rêves brouillés qui lui plaisaient. Il faut dire d'ailleurs que ce
goût de l'alanguissement et du rêve semble avoir bien diminué
avec l'âge ; vers la fin de sa vie, Verlaine, trop souvent déçu
dans ses espérances d'amour, de sagesse et de foi, inclina à ne
demander à son existence, barrée par la misère, la fatigue et

la maladie, que les jouissances les plus immédiates et les plus
faciles qu'elle lui permettait. L'horizon de brume et de rêve qui
encercle la plupart de ses premiers recueils, a le plus souvent disparu, alors ; on voit des premiers plans éclairés d'une lumière
vive, des images vulgaires, et voulues ainsi, très précisément
dessinées ; c'est un tout autre Verlaine.

Il est presque inutile, après ces simples constatations, de dire
que les préoccupations d'ordre intellectuel ne tiennent qu'assez
peu de place dans l'œuvre de Verlaine ; on pourrait évidemment
écrire, dans une étude sur lui, un chapitre relatif à ses « idées » ;
mais ce serait tenir une gageure bien hasardeuse : la pensée et la
culture de Verlaine sont bien loin de celles d'un Baudelaire ou
d'un Leconte de Lisle, par exemple. Il faudrait, puisqu'il s'agirait
de matières d'intelligence, se fatiguer, et bien inutilement, à
ordonner logiquement les idées du poëte sur quelques grands
sujets : religion, état, patrie, morale, éducation... Il a parlé de
tout cela, à la rencontre, mais il n'eut jamais le souci d'être un
« penseur ». Un seul exemple : tout en lui, son humeur, les accidents de sa vie, le disposait à être un parfait anarchiste d'esprit ;
de fait, il a souvent dit son horreur de toutes les formes de la
contrainte sociale : l'Armée, la Guerre, l'École, le magistrat, le
prêtre même qui empêche le fidèle d'arriver seul et libre en
face de Dieu. Mais, du jour où il se fut converti, il accepta, en
même temps que le catholicisme, et sans y mieux réfléchir que sur
sa foi, toute une série de dogmes contraires à ses vrais goûts ; il
se crut monarchiste fervent, il fut un patriote fort chauvin, il
s'enthousiasma pour l'aventure boulangiste... Qu'on lise son
Voyage en France par un Français, écrit vers 1880 (*Œuvres posthumes*, t. II, p. 33 et suiv.), on verra jusqu'où cet anarchiste-né
poussait son zèle conservateur, son souci de la morale, son respect de l'ordre ! Ces pages s'accommodent bien mal avec l'idée
qu'on se fit couramment de Verlaine, vers 1890 ; une idée assez
véridique d'ailleurs : le type et le résumé des protestations de
l'individu contre la société moderne qui lui interdit tout vrai
développement.

Jamais Verlaine ne chercha à arranger ces tendances contra-

dictoires, de façon qu'elles pussent vivre ensemble, en bon voisinage d'idées, dans son cerveau ; c'eût été un souci d'intellectuel ; il ne l'avait pas. *Penser*, au sens ambitieux du mot, devint
pour lui une fatigue qu'il évitait volontiers ; il y avait des livres
à la mode qu'il préférait ne point lire, des curiosités qu'il aimait
mieux ne pas avoir. Quand ses jeunes amis s'enthousiasmèrent
pour Schopenhauer, pour Ibsen, qui pourtant eussent satisfait
certains de ses goûts de révolte et de désespérance, il déclara
tout net qu'ils « l'embêtaient » (t. III, p. 262), qu'il ne les comprenait pas. Rien d'étonnant si sa poésie, au contraire de celle des
grands Parnassiens, se désintéresse complètement des grandes
angoisses intellectuelles du temps. De très bonne heure, il avait
renoncé aux curiosités de l'intelligence ; il était devenu l'esclave
de sa puissance de sentir et de jouir ; l'alcool et la passion le
remuèrent à fond. Ses vers, sincères, ne voulurent que transcrire
ses sensations, les plus douces comme les plus vives ; sa vision
délicieusement trouble de l'univers ; ses rêves, plus troubles encore
que la réalité, et plus pleins qu'elle de belles images ; ses brefs
élans vers Dieu ; les exigences de sa sensualité vieillissante et
exaspérée... On comprend qu'il ait fini par donner cette définition
simple de l'Art :

L'art mes enfants c'est d'être absolument soi-même.

(T. II p. 259.)

Il n'y voyait pas une manifestation de la volonté, une réalisation de l'intelligence, le désir de styliser un idéal quelconque ;
il le sentait comme un besoin, le besoin impérieux de fixer avec
des mots les mouvements, jusqu'aux plus secrets, d'une sensibilité toujours troublée et impatiente.

CHAPITRE X

LES MOYENS D'EXPRESSION RYTHMIQUES

I

Les cénacles qui, vers 1885, aimèrent en Verlaine le bohème, symbole de leurs mécontentements contre la société, ou bien le poète de la pure sensation, se piquaient aussi de réformer les moyens d'expression rythmiques. Toutes les écoles, tous les grands mouvements poétiques commencent ainsi. On retouche les traités de versification du jour, soit pour les rendre plus sévères, soit pour effacer quelque chapitre ou en ajouter de nouveaux ; peu à peu l'accord se fait sur des changements, qui, d'abord, ne paraissaient que des questions de pure forme, quelquefois des vétilles ; et l'on s'aperçoit qu'en réalité ces disputes de métrique tendaient à permettre l'expression plus facile de thèmes tout neufs ; on avait reconnu instinctivement les défauts de l'instrument dès qu'on lui avait demandé de faire entendre des sons nouveaux. A l'origine de la Renaissance, du Classicisme, du Romantisme, du Symbolisme, il y a des querelles de grammaire et de versification, dont l'importance est grande.

Au temps où Verlaine devint célèbre, — grâce à diverses influences étrangères, dont la plus puissante semble bien avoir été la révélation enfin consentie de la musique wagnérienne, grâce aussi à une intelligence plus complète de l'œuvre de Baudelaire, — les jeunes poètes inclinèrent à rapprocher la poésie de la musique, à être des harmonistes, bien plutôt que des peintres, des conteurs ou des philosophes en vers, comme par le passé. Des sensations comme matière et comme but, non des images ;

des sons comme moyen d'expression et non pas des mots chargés
de sens et étroitement accolés, chacun à une idée ou à une
image, tel fut l'idéal, très clair, mais bien vite pâlissant, qui
éclaira toute la période symboliste. Verlaine avait devancé de
quinze ans ces tentatives et ces désirs ; il pouvait paraître un
précurseur, un maître même ; et de fait, on se réclama de son
Art poétique. Il a eu plus d'influence, immédiatement et directement, comme métricien que comme poète ; aussi bien est-il
plus facile de s'assimiler des procédés d'exécution que le fond
intime d'une sensibilité.

Il nous faut donc étudier sommairement les moyens d'expression rythmiques chez Verlaine. C'est un sujet qui a tenté assez
souvent déjà les critiques et les érudits (1) ; mais on n'a pas l'impression que leurs recherches aient abouti à des résultats très
sûrs. C'est un terrain dangereux, embroussaillé par un pullulement de théories généralement bien étranges ; jamais il n'en a
tant paru qu'à l'époque symboliste, soit que des poètes fissent
eux-mêmes œuvre de théoricien, soit que des érudits aient voulu
réduire à des théories les aspirations et les tentatives de la nouvelle poésie. Après la lecture de quelques-uns de ces traités, et
devant la bigarrure des conclusions, on se sent fort sceptique,
très étonné que les poètes aient eu, en réalité, des intentions aussi
précises, avec, à leur disposition, des procédés aussi commodes et
aussi mécaniques. Qui ne se sentirait poète, après une telle vulga-
risation des secrets d'harmonie ! Le malheur, et les meilleurs des
théoriciens modernes du vers français n'hésitent pas à le dire,
c'est que bien rarement, sinon jamais, les beaux vers sont trouvés
conformes aux règles exigeantes des traités d'harmonie et de
versification.

Presque toutes ces théories négligent une considération qui
pourtant paraît donner à la question sa vraie lumière. Depuis des

(1) Notamment : R. de Souza, *Le rythme poétique,* 1892 (étude de *Sagesse*);
H. P. Thieme, *The Technique of the French Alexandrine...,* 1897 ; M. Gram-
mont, *Le vers français, ses moyens d'expression, son harmonie* 1904 ; 3ᵉ éd.
1923.

siècles, en France, les vers sont *vus* par les yeux du lecteur,
ensuite compris et sentis, et non pas *entendus* d'abord ; ils sont
image visuelle et non impression sonore ; bien rares les privilégiés qui peuvent recréer instantanément dans leur cerveau des
harmonies de sons avec les portées de musique que devraient être
les vers allongés sur du papier blanc. Il faut un effort pour que le
plaisir de lire des vers ne reste pas une joie de l'intelligence.

D'ailleurs, après tant d'études et de théories, les rapports intimes du son, du mot, de l'image, de l'idée restent fort obscurs ;
il est vrai que les recherches n'étaient guère fondées, au mieux,
que sur des statistiques ; la réalité glissait facilement hors de ces
tableaux et de ces classifications ; on en revenait alors à l'expérience personnelle, qui signale des correspondances évidentes,
des rencontres verbales douées assez sûrement d'un certain pouvoir musical. Mais, dès qu'on s'essayait à fixer des règles, on
apercevait bien, avec un peu de sens critique, que les démentis
et les contradictions abondaient. Point de stabilité dans la valeur
de suggestion des sons.

Les dernières recherches de la phonétique expérimentale, —
celles de M. Lote, notamment (*L'alexandrin d'après la phonétique
expérimentale*, 1913), — confirment très solidement cette pru-
dence et ce scepticisme. Les tambours enregistreurs, les olives
nasales paraissent avoir détruit la plupart des théories sur le
rythme, périmées ou en faveur. Les conclusions de M. Lote,
après tant de recherches, sont toutes proches de celles du sens
commun, toutes proches des opinions courantes avant le four-
millement des théories rythmiques à la fin du xixe siècle. C'est
« le sens » des vers, dit-il, qui « règle le rythme total » ; « c'est le
sens qui détermine les coupes et, par conséquent, le rythme » ; la
rime elle-même n'est point un « élément acoustique » essentiel ;
« à tout prendre on pourrait s'en passer ». C'est sans système que
les poètes, au moment où ils écrivent leurs vers les plus harmonieux, choisissent de répéter certains sons plutôt que d'autres
et donnent à leur phrase tel ou tel mouvement. Tout est subor-
donné à la qualité de ce qu'ils veulent faire entendre, voir ou
deviner, et les beaux vers raciniens :

Ariane, ma sœur, de quel amour blessée,
Vous mourûtes aux bords où vous fûtes laissée ?

doivent leur musique moins, probablement, à la répétition de
deux *i* et de quatre sifflantes qu'au prestige mythologique du
nom d'Ariane et aux suggestions puissantes que donnent les
mots et les idées d'amour, de bords lointains, d'abandon et de
mort ; mots et images infiniment riches de vibrations sentimentales, que le poète déploie tout ensemble dans l'espace étroit
de deux vers : l'afflux subit de ces évocations est tel qu'il
semble dépasser les simples possibilités d'expression des
mots.

Pour ce qui est de Verlaine, en tout cas, une attitude voulue
de réserve et de défiance à l'égard des théories sera tout à fait
de mise. Personne ne fut moins théoricien que lui. Ni son œuvre
ni ses amis ne nous apprennent qu'il ait été vraiment musicien,
je veux dire amateur passionné de musique. Mais sa virtuosité
était extrême ; sa sensibilité profonde ; et il fut curieux de
tenter bien des essais. Peut-être a-t-il subi quelques influences.
M. A. Symons (*The symbolist movement*, 1899, p. 97) affirme que
l'étude des poètes anglais contribua à lui enseigner les secrets de
la liberté du vers ; ou n'est pas très renseigné là-dessus. Verlaine
apprit l'anglais tard, et le sut assez mal d'abord ; ses premières
initiatives rythmiques, très originales, et qu'il n'a fait que déve-
lopper par la suite, datent d'un temps où il ne le savait point.
En 1873, il lut Poe (*Corresp.* T. I, p. 98) et fut choqué des « pué-
rilités » d'un système poétique dont Baudelaire avait dit et apprécié l'originalité. D'autres influences, partielles, sont possibles ;
mais l'influence de Rimbaud fut certainement, nous l'avons vu,
la plus forte, et décisive.

On se bornera ici à préciser jusqu'à quel point Verlaine
est vraiment un novateur ; des recensements statistiques,
comme nous allons en faire, n'expliqueront évidemment en
rien la puissance musicale de Verlaine, mais ils permettront
de répondre assez précisément à cette question d'histoire
littéraire.

II

Le rôle que Verlaine a joué dans le grand effort que fit la poésie française, à la fin du XIXᵉ siècle, pour se libérer de toutes les entraves de la versification, est reconnu, généralement, comme considérable. L'étude de ses recueils successifs a déjà averti, bien qu'on ait en général réservé l'examen des rythmes, que son goût d'affranchir le vers se développa progressivement, et fut le plus fort au temps qu'il essayait les thèmes les plus nouveaux. Ce goût continua à se manifester dans les dernières années alors que le poëte, lassé de bien des curiosités, et tôt vieilli, se bornait à quelques thèmes, toujours les mêmes, et devenus comme ses lieux communs. Aussi bien subit-il alors, comme par un choc en retour, l'influence des symbolistes qui se réclamaient de lui. Après le vers libéré, le sien, il les vit qui essayaient le vers libre, celui de Rimbaud. Il hésita devant ces nouvelles audaces, très logiques, que ses encouragements et ses essais avaient permises. Ni son œil ni son oreille n'étaient accoutumés à ces combinaisons toutes nouvelles de sons, à ces singuliers alignements de mots. Il avait alors passé la quarantaine ; malgré son désir de soigner sa popularité, malgré sa sympathie vraie pour les jeunes, il se sentait très éloigné de la génération des poëtes qui avaient alors vingt ans.

A vingt ans, il avait été, lui, un parnassien, très attaché aux principes de l'école. Entre autres témoignages qu'il donna alors de sa fidélité, il ne manqua pas de formuler le canon essentiel :

> Et je hais toujours la femme jolie !
> *La rime assonante* et l'ami prudent.
>
> (T. I, p. 10.)

Il croyait d'une foi absolue à la rime riche. Mais ce dogme, s'il est le plus essentiel du Credo parnassien, et le seul vraiment qu'ait promulgué Th. de Banville, n'était pas, vers 1870, l'obligation unique que croyaient devoir s'imposer les disciples. On avait en variant les coupes, introduit, ou plutôt vulgarisé de nouvelles

formes d'alexandrin, particulièrement les vers à deux coupes,
que l'on appelle généralement des ternaires. En outre, et conformément aux conseils de Sainte-Beuve, dès 1828, et à l'exemple
de Victor Hugo dans les *Orientales*, on avait cherché à multiplier
les formes de vers et de strophes, à créer, pour ainsi dire, un
grand nombre d'unités rythmiques. La variété des effets, —
longueur des vers, place des coupes, composition des strophes,
— était devenue une des obligations du poète ; Banville, entre
bien d'autres, avait donné le modèle illustre de cette inlassable
curiosité. Jusqu'en pleine époque symboliste, il devait rester à
cause de cela, un maître dont les poètes, même ceux qui n'étaient
pas de goût parnassien, acceptaient de s'enorgueillir.

Ces préceptes n'étaient pas limitatifs, comme celui de la rime
riche ; au contraire, ils invitaient à chercher du nouveau, sans
cesse. Il ne fut pas difficile à Verlaine de rester sur ce point, jusqu'au bout, un vrai poète du Parnasse. Il a écrit

> Sur tous les tons de tous les modes,
> Ballades, sonnets, stances, odes.
>
> (T. III, p. 114.)

Quelques indications grossement statistiques suffiront à signaler son goût pour une très grande variété rythmique. Les *Poèmes
saturniens* ont quarante pièces écrites avec vingt combinaisons
de vers différentes : soit, s'il est permis de recourir à une expression commode, un indice de variété égal à cinquante pour cent.
Cette proportion augmente avec les *Fêtes Galantes*, où elle dé-
passe soixante-quinze pour cent ; dans la *Bonne Chanson*, elle
revient à soixante pour cent ; mais, dans les *Romances sans
paroles*, elle atteint, on l'a vu, cent pour cent ; elle est encore de
soixante-cinq pour cent dans *Sagesse*. A partir de cette époque,
la recherche statistique n'a plus grand sens, puisque des recueils
comme *Jadis et Naguère* et *Parallèlement* sont composés de pièces
écrites à des dates fort éloignées les unes des autres. Dans les
recueils des dernières années, la proportion de variété est fort
inégale ; mais elle se maintient généralement assez forte ; elle

est de quatre-vingts pour cent dans *Chansons pour elle*, de soixante-cinq à soixante-dix pour cent dans *Liturgies intimes* et
Odes en son honneur.

Ce sont de simples chiffres. Si l'on essaie de figurer la réalité
dont ils sont l'équivalent véridique, mais peu suggestif, on se
trouve en présence de tout un petit monde de stances et de
strophes : de longues suites de vers pareils, des distiques, des
tercets, des quatrains, des quintils, des sixains, des septains, des
huitains, des dizains, des douzains, des sonnets réguliers, des
sonnets irréguliers, des sonnets renversés, des ballades, un pan-
toum... Et il faudrait aligner aussi, pour cette revue, toutes
les longueurs de vers, depuis quatre syllabes jusqu'à quatorze ;
bien souvent ces vers inégaux sont combinés entre eux dans
des systèmes fréquemment renouvelés... Il paraît difficile d'imaginer plus grande cette multiplicité des formes rythmiques que
le Parnasse avait souhaitée, mais qu'il n'avait point tenu à réaliser de façon aussi complète.

De très bonne heure, une de ces combinaisons rythmiques a
été nettement préférée par le poète : le quatrain, l'ancien quatrain de la poésie classique. C'était se montrer bon parnassien.
Les *Poèmes Saturniens* sont composés de suites de quatrains,
pour un peu plus du tiers ; les *Fêtes Galantes* et les *Romances sans
paroles* pour un peu moins des deux tiers. Les vers alexandrins
sont, de tous, ceux qui sont le moins souvent employés à composer ces quatrains. Verlaine préfère les vers plus courts, le vers
de huit syllabes particulièrement. Or, ce quatrain d'octosyl-
labes est un des rythmes parnassiens préférés, la « forme étroite »
des *Émaux et Camées*. Très vraisemblablement, c'est par respect
d'abord de la tradition, puis par habitude de l'avoir souvent
manié que Verlaine l'a employé plus volontiers que les autres ;
il serait vain de chercher dans ce choix des correspondances
intimes, des facilités spéciales d'harmonie.

Verlaine a fait aussi, et à toutes les époques de sa vie, grand
usage du sonnet ; c'était suivre la plus grande préférence de
l'école de l'art et du Parnasse :

> Chose italienne où Shakespeare a passé
> Mais que Ronsard fit superbement française,
> Fine basilique au large diocèse,
> Saint-Pierre-des-Vers immense et condensé,
>
> . . . .
> Dogme entier toujours debout sous l'exégèse,
> . . . .
> Sonnet, force acquise et trésor amassé.
>
> (T. I, p. 301.)

Mais Verlaine, s'il a aimé cette forme traditionnelle, s'est accordé beaucoup de liberté dans la façon d'en user ; il a vite brisé les règles trop étroites des traités de versification. Rien qui rappelle, chez lui, la tenue officielle des *Trophées* ! Ses sonnets, dits *réguliers*, offrent une grande diversité dans la disposition des rimes des quatrains et des tercets, des quatrains surtout ; au total, cela fait un assez bon nombre de combinaisons voisines, mais différentes. Mais ce sont là de petites libertés. Dès les *Poèmes saturniens*, Verlaine désarticule et déguise ce beau rythme traditionnel. *Never More* (t. I, p. 11) est tout à fait écrit à l'encontre des règles, puisque les quatrains ne riment pas entre eux, que les rimes du premier quatrain sont toutes féminines, celles du second toutes masculines :

> Souvenir, souvenir, que me veux-tu ? L'automne
> Faisait voler la grive à travers l'air atone ;
> Et le soleil dardait un rayon monotone
> Sur le bois jaunissant où la bise détone.
>
> Nous étions seul à seule et marchions en rêvant,
> Elle et moi, les cheveux et la pensée au vent.
> Soudain, tournant vers moi son regard émouvant :
> « Quel fut ton plus beau jour ! » fit sa voix d'or vivant.

Melancholia, deux pages avant (t. I, p. 9), est un sonnet régulier dans ses rimes, mais renversé, ce que Verlaine appelle pittoresquement un sonnet « jambes en l'air » : les quatrains suivent les tercets :

> Tout enfant, j'allais rêvant Ko-Hinnor,
> Somptuosité persane et papale
> Héliogabale et Sardanapale !

Mon désir créait sous des toits en or,
Parmi les parfums, au son des musiques,
Des harems sans fin, paradis physiques !

Aujourd'hui plus calme et non moins ardent,
Mais sachant la vie et qu'il faut qu'on plie,
J'ai dû refréner ma belle folie,
Sans me résigner par trop cependant.

. . . .

Un autre sonnet, du même genre, a pris place dans les *Fêtes
Galantes*, mais il est plus artificieusement truqué encore, et
comme masqué, puisque la typographie n'y sépare point par des
blancs avertisseurs ni les quatrains ni les tercets (*L'Allée*, t. I,
p. 86). Ces essais, parmi bien des sonnets de bon et respectueux disciple, pouvaient paraître d'amusantes fantaisies : une
cabriole devant l'autel ; de fait, ils sont très rares dans les premiers recueils. Mais après *Sagesse*, le nombre des sonnets irréguliers augmente sensiblement ; à la fin, ils sont quelquefois plus
nombreux que les sonnets réguliers.

III

Ce pullulement de formes rythmiques, soit strophes bigarrées,
soit vers de toutes les tailles, avait une conséquence indirecte :
l'alexandrin perdait son prestige de grand beau vers, son droit
à être dit le rythme français par excellence. Les audaces romantiques, puis parnassiennes, s'étaient vite contentées avec quelques
retouches sur l'alexandrin classique ; elles avaient plutôt contribué à redorer son prestige. La multiplication d'autres unités,
l'enveloppement de l'alexandrin par la foule des petits vers devait
peu à peu déshabituer de croire qu'il y a des nombres privilégiés
et essentiels pour l'expression de l'idée ou de la sensation, sous
leur forme poétique ; le mélange de ces vers faisait oublier la
forte cadence régulière. Et c'est là une des voies, bien probablement, par lesquelles on put arriver assez facilement au vers libre.
Mais cette conséquence, indirecte, n'apparut pas de façon très

claire, d'abord. Cette liberté strophique pouvait être jugée
comme un legs très authentique des ancêtres qu'il était permis
de faire fructifier ; les poètes furent légion, entre 1860 et 1880,
qui coururent dans cette carrière permise et quasi officielle. On
fit plus attention, dans l'œuvre de Verlaine, aux désarticulations
voulues de l'alexandrin romantique, à la multiplication des coupes,
au franc abandon de la césure à l'hémistiche, à l'audace des enjambements. Cette façon de démolir intérieurement le rythme du
vers était d'un résultat plus visible que la méthode sournoise
qui consistait à appeler autour de lui une foule de rivaux.

Il est à peine nécessaire de signaler dans l'œuvre de Verlaine
quelques césures d'alexandrin où la sixième et la septième syllabes, appartenant à un même mot, ne sont séparées ni par le
sens, ni par la ponctuation, ni par l'écriture. Rimbaud remarqua,
dans *Fêtes Galantes*, le vers

Et la tigresse épou | vantable d'Hyrcanie,

(T. I, p. 89.)

Ce fut là, peut-être, une des raisons qui le poussèrent à solliciter
pour ses premiers vers l'agrément de Verlaine. Mais ces fantaisies
sont fort rares ; là encore, il s'agit de taquineries amusées du
poète.

L'alexandrin ternaire, ou, comme on l'appelle aussi, le trimètre
romantique, — c'est-à-dire l'alexandrin coupé en trois mesures
égales ou à peu près égales, — a plu à Verlaine mais il ne l'a pas
employé plus fréquemment que ses maîtres romantiques ou parnassiens, qui, en moyenne, ainsi que semblent l'établir des recou-
pements de statistique, n'en usaient qu'une fois sur quatre.
M. Robert de Souza (*Le rythme poétique*, 1892, p. 155 et suiv.) a
étudié fort ingénieusement l'emploi de ces ternaires dans quelques-
uns des grands poèmes de *Sagesse* ; Verlaine, quand il recourt de
façon régulière et, semble-t-il, intentionnelle, à ce vers, le fait
contraster avec des vers fort classiques, de façon à tirer des effets
de cette alternance ou de ces contrastes. L'harmonie intérieure
d'une suite d'alexandrins est alors profondément modifiée

Mon Dieu m'a dit : | Mon fils il faut m'aimer. | Tu vois
Mon flanc percé, | mon cœur qui rayonne | et qui saigne
Et mes pieds offensés | que Madeleine baigne
De larmes | et mes bras douloureux | sous le poids
....
N'ai-je pas sangloté | ton angoisse suprême
Et n'ai-je pas sué | la sueur de tes nuits,
Lamentable ami | qui me cherches où je suis ?

(T. I, p. 253.)

Ces ternaires, puisque ternaires il y a, sont fort inégaux ; et si l'on tient compte des enjambements fréquents, on a plutôt l'impression d'une rupture complète de l'harmonie du grand vers ; ce sont de petits groupes rythmiques inégaux, tout à fait indépendants des alexandrins dans lesquels le poète s'est cru, par déférence, obligé de les faire rentrer. Il faudrait un lecteur bien maladroit pour que l'oreille reconnût tout de suite le rythme accoutumé de l'alexandrin. C'est le style, familier et lâché, qui donne la note ici, non pas le rythme ; Musset, Sainte-Beuve, Théophile Gautier, Coppée offriraient maint exemple de ces vers très aisés, qui, réguliers à l'apparence, sont en réalité une prose rythmée, insoucieuse des coupes ordinaires, et où la rime semble s'escamoter.

Verlaine s'est montré plus révolutionnaire quand il a essayé d'écrire de « longs vers », et quand, conformément à son *Art Poétique*, il a pratiqué « l'impair ». Le chiffre de douze syllabes paraissait alors à la plupart des poètes et à presque tous les théoriciens, le nombre parfait du vers, la mesure la plus musicale, et cela en vertu d'une sorte de puissance intérieure ; les « petits vers » étaient jugés d'autant plus dignes de considération qu'ils s'en rapprochaient plus ; les vers de six, de quatre, de huit syllabes pouvaient, à la rigueur, être considérés comme des fragments d'alexandrin, des alexandrins mutilés, mais conservant quelque chose de leur beauté première. Il importait surtout que leurs mesures intérieures pussent être égales et, partant, que les vers restassent pairs.

Verlaine reprit les vers impairs qu'avait connus et pratiqués la poésie française jusqu'au xvie siècle, et qu'avait fâcheusement

discrédités, par ricochet, la théorie classique de l'hémistiche. C'est
une des prescriptions de l'*Art Poétique* :

> Et surtout préfère l'Impair,
> Plus vague et plus soluble dans l'air
> Sans rien en lui qui pèse ou pose.

Les vers de trois, de cinq, de sept, de neuf syllabes n'étaient
point nouveaux, et l'usage les reconnaissait bons dans les « petits
sujets », comme des vers auxiliaires, des vers de troisième catégorie.
Il n'y avait qu'à en rendre l'usage plus fréquent. Pour les vers
de onze et de treize syllabes, c'était une autre affaire ; trop voisins
de l'alexandrin, ils semblaient n'être nés que pour nier sa préémi-
nence ; facilement on pouvait, en vue d'une manière de parodie,
allonger l'alexandrin ou le raccourcir ; il suffisait que la voix
traînât sur la muette d'une rime féminine, ou que le débit
appuyât, au cours du vers, sur une syllabe très accentuée, ou
bien escamotât une syllabe dans des mots à prononciation un
peu indécise ; ces artifices, familiers au chant, permettaient que
l'impression totale de durée devînt la même à peu près, avec onze,
douze ou treize syllabes réellement articulées. Les vers de onze
et de treize syllabes ne sont guère qu'un jou de cette sorte.

Sauf erreur, le premier vers de onze syllabes qu'ait écrit Verlaine est dans les *Romances sans paroles* (t. I, p. 157). C'est une
pièce écrite au temps de la grande influence de Rimbaud :

> Il faut, voyez-vous, nous pardonner les choses.
> De cette façon nous serons bien heureuses,
> Et si notre vie a des instants moroses,
> Du moins, nous serons, n'est-ce pas, deux pleureuses.

Toute la pièce est en rimes féminines ; avec la muette appuyée
à la fin, cet impair devient pair.

Le premier vers de treize syllabes est, je crois, dans *Sagesse*
(t. I, p. 275). C'est une pièce écrite dans la prison de Bruxelles,
alors que Verlaine venait à peine de se séparer de Rimbaud :

> Je ne sais pourquoi
> Mon esprit amer,
> D'une aile inquiète et folle, vole sur la mer.

> Tout ce qui m'est cher,
> D'une aile d'effroi
> Mon amour le couve au ras des flots. Pourquoi, pourquoi ?

Ces deux longs vers mélangés avec d'autres dans la strophe, terminée par une rime masculine qui les délimite étroitement, ont vraiment une tenue bien modeste. *Jadis et Naguère* a recueilli une pièce, composée à la même époque, où le vers de treize syllabes est plus voyant : c'est un «sonnet boiteux», entièrement écrit avec ce vers (t. I, p. 308).

> Ah ! vraiment c'est triste, ah ! vraiment ça finit trop mal.
> Il n'est pas permis d'être à ce point infortuné.
> Ah ! vraiment c'est trop la mort du naïf animal
> Qui voit tout son sang couler sous son regard fané.

On rencontre encore de ces vers, dans les recueils qui suivirent, en quatrains ou en tercets, seuls ou bien mélangés à d'autres vers ; mais ils sont, au total, rares dans l'ensemble de l'œuvre. Ils affirment un droit, plutôt qu'ils ne créent un procédé. Verlaine alla jusqu'au vers de quatorze pieds :

> Immédiatement après le salut somptueux,
> Le luminaire éteint, moins les seuls cierges liturgiques,
> Les psaumes pour les morts sont dits sur un mode mineur
> Par les clercs et le peuple saisi de mélancolie,
>
> (T. II, p. 295.)

Il refusa de pousser plus loin, encore que ses partisans voulussent, pour l'amener au vers libre et tirer avantage de cette démarche, le décider à de nouvelles concessions. Il a bien écrit un vers de dix-sept pieds, ou plutôt deux :

> Je prendrais l'oiseau léger, laissant le lourd crapaud dans sa piscine.
>
> (T. III, p. 225.)

Mais c'était pour se moquer ; il le fit remarquer tout aussitôt :

> J'ai fait un vers de dix-sept pieds!
> Moréas, ne triomphez pas.........
> ....
> Mon vers n'est pas de dix-sept pieds

Il est de deux vers bien divers,
Un de sept, un de dix. Riez
Du *Distinguo* : c'est bon rire. Et c'est meilleur encore, aimer vos vers.
(T. III, p. 226.)

C'était affirmer aimablement que ce rythme trop élargi ne lui paraissait plus capable de rester une unité rythmique vraie. Moréas lui en voulut ; et il le dit crûment au cours de l'interview notée par Huret. Très vite Verlaine avait posé une limite à ses audaces sur le vers. Si on en fait le compte, elles ne sont pas d'ailleurs bien nombreuses. Il utilisa surtout les rythmes traditionnels, tâta de quelques nombres rythmiques insolites, mais très proches des nombres traditionnels. Surtout, il mélangea en des proportions diverses et originales ces nombres, anciens et nouveaux. Mais il resta soucieux, en général, de respecter leurs rapports ordinaires ; il recourut à des combinaisons simples et équilibrées, en maintenant, pour l'unité, des notes dominantes très fortes. Malgré son affirmation de l'excellence du vers impair, il ne dédaigna point les cadences romantiques et parnassiennes. Sa pratique est moins audacieuse que sa théorie. Vers le tard, il a plutôt cherché à calmer ceux qui, voulant libérer tout à fait la phrase poétique, s'étonnaient qu'il restât timidement dans les parages immédiats de l'alexandrin et des vers de six et huit syllabes.

IV

Ces mêmes curiosités, ce même goût d'innover, et aussi, finalement, des timidités du même genre, on retrouvera tout cela en étudiant sommairement l'usage que Verlaine fit de la rime et de l'assonance.

Le prestige de la rime riche, désirée par les romantiques dès avant 1830, n'avait fait que grandir au cours du siècle. Trois dates marquent assez bien les progrès de son intransigeance. Au plein des succès romantiques, en 1844, W. Tenint déclarait, dans sa *Prosodie de l'école moderne*, que la rime « est le seul générateur du vers français », que « les vers se font par la rime » ; il marquait une préférence évidente pour la rime riche, mais il ne la prescrivait pas. Le *Diclionnaire des rimes françaises, disposé dans un ordre nouveau*... de Landais et Barré (1853) se présenta comme « un ouvrage neuf, parce que les dictionnaires antérieurs n'indiquaient que les rimes suffisantes, tandis que celui-ci classe les mots en tenant compte de la consonne d'appui qui fait la rime riche » ; le titre même annonçait aux yeux la suprématie nouvelle de la rime « riche et surabondante ». En 1872, enfin, après les premiers succès du Parnasse, Th. de Banville poussa la théorie à l'extrême : « L'*imagination* de la rime est, entre toutes, affirmat-il, la qualité qui constitue le poète. » Tous les mots du vers ne servent qu'à préparer le mot de la rime, le seul sur lequel s'arrête l'esprit ; ils doivent s'harmoniser avec lui, s'effacer devant lui ; c'est la rime qui suscite l'image, qui ordonne la construction de la phrase, et elle ne saurait être que brillante, exacte, solide et riche.

Verlaine débuta au temps de la plus grande ferveur de cette croyance. Il fut dévot... et, quelques années après, tout à fait apostat. L'*Art Poétique* condamna durement la rime, la rime riche d'abord, l'obligation même de rimer et son principe :

> Qui dira les torts de la rime
> Quel enfant sourd ou quel nègre fou
> Nous a forgé ce bijou d'un sou
> Qui sonne creux et faux sous la lime ?

Et pourtant, l'immense majorité des vers de Verlaine sont rimés et bien rimés. Tout au plus peut-on constater, — mais ces statistiques à base un peu incertaine ne sont jamais bien probantes, — que le souci de la rime très riche diminue chez le poète à partir des *Romances sans paroles.* Ce n'est là qu'une tendance ; les dérogations à la règle de rimer sont peu nombreuses, et très éparpillées dans l'ensemble de l'œuvre.

D'abord il y a très peu de rimes... qui ne riment pas, ou plutôt de vers sans rimes, où le mot final n'a point d'écho dans le voisinage, proche ou lointain. Encore s'agit-il d'espèces de litanies, de tercets où des vers isolés, quelquefois répétés, servent de refrain ou de repos ; ou bien c'est un quatrain, un tercet monorimes, exception faite d'un vers auquel aucun ne répond (t. I, p. 155 et 246) ; le dernier tercet d'un sonnet qui, tout à coup, négligeant la rime, paraît s'affaler (t. I, p. 308).

Verlaine a fait un usage plus fréquent des séquences de rimes, uniquement masculines ou féminines, qui modifient, — quelquefois pour l'œil seulement, — l'harmonie habituelle des suites de vers classiques ou romantiques, mais où continue à frapper très fort le martèlement de la rime. Ces vers unisexués se présentent au regard dès les *Poèmes saturniens* (t. I, p. 11 et 18) ; ils sont peu nombreux alors. Ils reparaissent, systématiquement employés, dans les sonnets baudelairiens des *Amies* (1867), qui sont de la même époque ; cette correspondance discrète entre le sujet et la rime est probablement d'intention plutôt amusée qu'harmonique. Les *Romances sans paroles* offrent de nombreux exemples de ces rimes ; ce n'est plus pour violer une règle, ou réaliser un tour de force, que le poëte les emploie, c'est pour réaliser de visibles effets. Les suites de rimes féminines avec les prolongements et les silences multipliés des muettes finales, paraissent avoir été voulues pour des thèmes de tristesse et de désir alangui...

> Les chères mains qui furent miennes,
> Toutes petites, toutes belles,
> Après ces mortelles méprises
> Et toutes ces choses païennes,
>
> Après les rades et les grèves,
> Et les pays et les provinces,
> Royales mieux qu'au temps des princes
> Les chères mains m'ouvrent les rêves.
>
> ....
> (T. I, p. 230.)

Les séries purement masculines sont plus rares. Verlaine aime mieux faire alterner des strophes masculines avec des strophes féminines, pour créer des effets nouveaux de variété. C'était, au fond, se réasservir, après l'avoir un peu élargie, à la vieille

règle classique de l'alternance des rimes masculines et féminines :
c'était la stance, non plus le vers, qui était l'unité rythmique.

On trouve aussi, chez Verlaine, beaucoup de contre-rimes, des
fausses rimes, des sons à terminaison masculine rimant avec des
sons à désinence féminine. Il y avait là un retour, en réalité, à
l'assonance, celle que pratiquaient naïvement les chansons populaires :

> Votre Majes*té*
> Est bien mal culot*tée.*

> Le fils du roi vint à pass*er*
> Il les a toutes salu*ées.*

Et c'est bien, d'ailleurs, l'exemple des vieilles chansons,
prônées par Rimbaud comme un art meilleur et plus naïf, qui a
encouragé Verlaine à tenter l'assonance. Les premières apparaissent précisément dans une sorte de pot-pourri de vieux thèmes
populaires.

> La lune à l'écrivain pubLIC
> Dispense sa lumière obsc*ure*
> Où Médor avec AngéLIQUE
> Verdissent sur le pauvre m*ur.*

> Et voici venir la RAMÉE
> Sacrant en bon soldat du R*oi.*
> Sous son habit blanc mal fAMÉ,
> Son cœur ne se sent pas de j*oie,*
>   (T. I, p. 159.)

Mais ce sont là des assonances toutes voisines de la rime.
La différence des sons, pour l'œil comme pour l'oreille, ne tient qu'à
la présence de quelques *e* muets, sortis depuis bien longtemps
de la prononciation ; il est difficile, dans les mots choisis par Verlaine, de les faire entendre sans user d'une prononciation très
affectée. Seule, en fait, l'orthographe différencie ces sons, tout
pareils ; et Verlaine revenait à l'assonance, en reculant d'un pas
simplement sur le chemin qui, autrefois, avait conduit à transformer l'assonance en rime. La vraie assonance, tintement semblable sur la dernière voyelle tonique du vers, est moins exigeante.

C'est celle là que vite s'appliquèrent à restaurer les poètes du vers libre.

Plusieurs fois Verlaine s'est amusé à la fantaisie de ces fausses rimes. Dans *Sagesse*, il mélangea, prudemment, quelques assonances à des vers rimés (t. I, p. 241, 278, 291) ; ou bien il écrivit des quatrains exactement rimés intérieurement, dont les rimes sont assonancées de l'un à l'autre quatrain :

> Le bonheur de saigner sur le cœur d'un ami,
> Le besoin de pleurer bien longtemps sur son *sein*,
> Le désir de parler à lui, bas à demi,
> Le rêve de rester ensemble sans des*sein* !
>
> Le malheur d'avoir tant de belles ennemies,
> La satiété d'être une machine obs*cène*,
> L'horreur des cris impurs de toutes ces lamies,
> Le cauchemar d'une incessante mise en *scène* !
>
> (T. II, p. 160.)

Il ne faut pas se laisser prendre à quelques titres des derniers recueils, provocants et faits pour plaire aux jeunes disciples : *Vers sans rimes* (t. III, p. 300) ; il n'y a là que des vers très bien rimés, mais où, sauf une fois, la seule anomalie est que des singuliers riment avec des pluriels ; — *Vers en assonances* (t. III, p. 298) ; ce sont encore des rimes, où des féminines répondent à des masculines. Verlaine taquine la rime régulière, rogne son domaine, mais jamais il ne s'éloigne beaucoup d'elle.

Il s'est d'ailleurs expliqué plusieurs fois fort nettement à ce sujet. Dès 1882, il s'est excusé de son *Art Poétique*, que venait de publier, non sans scandaliser d'aucuns, *Paris moderne* (10 novembre 1882) ; du moins il limita le sens de son propos contre la rime :

D'abord, vous observerez que le poème en question est *bien* rimé. Je m'honore trop d'avoir été le plus humble de ces Parnassiens tant discutés aujourd'hui pour jamais renier la nécessité de la Rime dans le vers français, où elle supplée de son mieux au défaut du Nombre grec, latin, allemand, même anglais.

... « Je dis que je veux » n'être pas opprimé par les à-peu-près et les calembours, exquis dans les *Odes funambulesques*, mais dont mon cher maîtreTh. de Banville se prive volontiers dans ses merveilleuses odes purement lyriques. Tous les exemples sont là d'ailleurs, partant des plus hauts cieux poétiques.

Je ne veux me prévaloir que de Baudelaire qui préféra toujours la Rime rare à la Rime riche.

... Je résume ainsi le débat : rimes irréprochables...

(*La Nouvelle Rive gauche*, 15-22 décembre 1882 ; non recueilli dans les *Œuvres*.)

Plus tard, devant l'insistance des partisans du vers libre, Verlaine finit par abjurer tout à fait sa protestation, qui sentait l'hérésie ; non seulement il condamna le vers libre, mais il affirma la nécessité de la rime.

> J'admire l'ambition du Vers Libre,
> Et moi-même, que fais-je en ce moment
> Que d'essayer d'émouvoir l'équilibre
> D'un nombre ayant deux rythmes seulement ?
>
> Il est vrai que je reste dans ce nombre
> Et dans la rime, un abus que je sais
> Combien il pèse et combien il encombre,
> Mais indispensable à notre art français,
>
> Autrement muet dans la poésie,
> Puisque le langage est sourd à l'accent.
> Qu'y voulez-vous faire ? Et la fantaisie
> Ici perd ses droits : rimer est pressant.
>
> Que l'ambition du Vers Libre hante
> De jeunes cerveaux épris de hasards !
> C'est l'ardeur d'une illusion touchante.
> On ne peut que sourire à leurs écarts.
>
> (T. III, p. 223.)

Le poète s'est expliqué plus nettement encore dans un article donné au *Décadent* (*Œuvres posth.*, t. II, p. 281). Il y avoue « ses torts... en propos seulement » contre la rime ; il ne la condamne plus, mais seulement l'abus qu'on en fait. « Rimez faiblement, conseille-t-il, assonez, si vous voulez, mais rimez ou assonez. Pas de vers français sans cela. Quand je dis : rimez faiblement, je m'entends et je ne veux pas que ma concession signifie : rimez mal. » On voit bien, à la façon dont Verlaine s'exprime, que l'assonance n'est pour lui qu'une sorte de rime, une rime « suffisante ». Il prend ensuite la défense de la rime racinienne, « faible », comme de la rime parnassienne, trop riche. La vraie assonance,

il la considère comme « un élément de confusion, de désordre
même ». Il conclut en citant un fragment d'une de ses ballades
où, ne pouvant trouver une belle rime nécessaire. il se résigna à
laisser une assonance ; « mais, termine-t-il, que ceci ne serve pas
d'exemple ! » Avec Huret, tout à fait libre de propos, il fut
encore plus net ; ses audaces, ses *nouveautés*, il les traita de
« blagues ». « Certes, disait-il, je ne regrette pas mes vers de
quatorze pieds ; j'ai élargi la discipline du vers, et cela est bon ;
mais je ne l'ai pas supprimée ! Pour qu'il y ait vers, il faut qu'il
y ait rythme ».

De plus en plus, évidemment, il revenait aux modes rythmiques de sa jeunesse. Il sentait que sa vraie originalité n'était pas
dans la réforme du rythme, car il avait été, au total, assez respectueux des cadences anciennes. C'est du moins ce que cet examen, forcément sec et statistique, a essayé de mettre en lumière.
Il n'avait guère usé vraiment de la liberté réclamée par l'*Art
Poétique* que pour renoncer fréquemment à l'alternance des rimes
masculines et féminines, et pour adapter, au moyen de coupes
multiples, son vers à sa phrase, finalement déhanchée et indolente, comme il convenait à la simplicité voulue de ses propos en
vers. Les refrains, les répétitions, les allitérations, — assez rares
chez lui, — il avait trouvé tout cela dans l'héritage parnassien,
chez Baudelaire surtout. Il est bien remarquable qu'il ait fini
par se heurter, sur ces questions, aux aspirations symbolistes.
Moréas, pour se venger, lâcha sur lui la grande injure du temps :
« Verlaine est un parnassien » ; il n'avait pas tout à fait tort.

CHAPITRE XI

VERLAINE ET LES POÈTES SYMBOLISTES. — LES LIMITES DE SON INFLUENCE

I

La timidité de Verlaine dans le maniement des procédés nouveaux d'expression rythmique, ses défiances à l'égard du vers libre tracent une espèce de ligne-frontière qui, sur une longue étendue, sépare très nettement son œuvre de celles qui eurent les préférences de la génération symboliste. Mais, bien que les questions de forme aient été alors tout à fait prépondérantes, on se proposa aussi, assez unanimement, de renouveler les thèmes poétiques, de changer, à vrai dire, l'horizon même de la poésie. Il sera donc utile, pour achever de bien marquer la place de Verlaine dans l'histoire poétique du XIXe siècle, de confronter ses goûts et ses tendances avec celles qui se manifestèrent, autour de lui, dans les dernières années de sa vie. On n'a, pour cela, qu'à étudier sommairement les relations du poète avec les divers groupes symbolistes, à noter ses marques d'assentiment, ses refus, ses réactions d'humeur ou de sensibilité. Ce n'est certes pas le plus sûr des procédés pour se mettre en possession d'une formule totale du symbolisme ; mais c'est la meilleure façon de conclure cette étude, du point de vue de l'histoire littéraire : avant de pouvoir être abstrait en un concept très simple, le symbolisme s'est révélé comme un certain nombre d'opinions sur la poésie, parallèles ou contradictoires, successives ou bien contemporaines.

De 1871 à 1885, Verlaine est resté tout à fait en dehors des influences qui, sourdement, à Paris, agissaient sur la jeune génération et préparaient les états d'esprit, les enthousiasmes et les

inquiétudes que satisfit le mouvement symboliste : les séjours
d'Angleterre, la prison, la province, le désir nécessaire de vivre à
l'écart, tout avait empêché qu'il subît vraiment ces influences
et qu'il participât d'esprit et de cœur aux nouvelles curiosités.
Quelques rares jeunes hommes avaient lu ses *Romances sans
paroles* et aimaient sa manière. Mallarmé prit vite avantage sur
lui dans l'opinion des « jeunes ». Dès avant 1870, et par un choix
personnel, malgré ses attaches parnassiennes, il avait commencé
à écrire des poèmes, complexes et un peu obscurs, où s'exprimaient
de tout nouveaux états de sensibilité, uniques alors, ceux mêmes
qui devaient plaire moins de vingt ans après. Au lendemain de la
guerre, il vint à Paris ; on le connut un peu ; quelques fidèles
l'entourèrent ; il subit les influences du temps ; lui-même fut
une influence ; en de rares publications, il révéla un nouvel idéal
de beauté ; il enseigna, par son exemple, une façon neuve pour
le poète de jouer avec les images et les idées et de les emmêler
plus étroitement qu'on ne l'avait jamais fait. On n'eut point à le
découvrir, puis à le renier, comme Verlaine ; il n'eut pas, comme
lui, à se donner aux jeunes, puis à se reprendre. Sa pensée et son
art étaient allés, de bonne heure, si loin qu'ils dépassaient encore,
vers 1890, les ambitions de la plupart des nouveaux poètes. On ne
le discutait point, on le vénérait. On fut plus familier avec Verlaine ;
après tout, il n'incarnait pas l'Art, mais seulement le Poète, selon
les idées du temps ; Mallarmé, lui, était la Poésie, par delà toutes
les contingences du moment.

Quand on les découvrit tous deux, soudainement, un peu avant
1885, les tendances des jeunes cénacles étaient encore assez confuses. L'histoire des Hydropathes, des Hirsutes, des Zutistes, et
même du Chat Noir à ses débuts n'apprend pas grand'chose : ces
réunions changeantes et fragiles de rapins et de poètes ne
mettent guère en lumière, chez les jeunes, de goûts communs,
sinon celui de faire du bruit ; on y a applaudi des vers dont beaucoup
étaient selon les modèles des bons faiseurs à la mode ; on y manifesta des opinions politiques violentes ; quelques excentriques
eurent un succès d'amusement... C'est l'histoire habituelle des
rassemblements d'étudiants au XIXe siècle, —la bohème de Murger,

moins mièvre certes, mais fort reconnaissable encore. Les peintres
s'étaient portés, dès alors, un peu plus en avant que les littéra-
teurs. Le succès des impressionnistes avait permis, depuis quelques années déjà, à tous ceux que lassait la peinture traditionnelle, de se libérer très facilement. Pour faire apparaître vite une
originalité, dans ce milieu, il fallait frapper fort : en 1882 la
Société des Arts Incohérents se fonde et elle ouvre un salon ; elle
se propose non point d'instituer ou de préparer une esthétique
nouvelle, mais de se moquer durement des artistes et de l'art.
L'incohérence étudiée des sujets et des procédés, l'énormité des
plaisanteries traduisent de façon évidente ce désir de protester.
Le malaise intellectuel et artistique est si grand alors que l'on
juge nécessaire de tout abîmer dans ce qui plaît au public, et que
cette destruction suffit à la jouissance esthétique.

Aux peintres « incohérents » s'associent bientôt les *Décadents*.
C'est un mot nouveau, peut-être créé après la lecture d'un sonnet
où Verlaine disait sa « langueur », son dégoût de l'action, sa certitude momentanée que rien, dans la vie, ne valait la peine qu'on
vécût :

> Je suis l'Empire à la fin de la Décadence.
> . . . .
> Là-bas on dit qu'il est de longs combats sanglants.
> O n'y pouvoir, étant si faible aux vœux si lents,
> O n'y vouloir fleurir un peu cette existence !
>
> O n'y vouloir, ô n'y pouvoir mourir un peu !
> . . . .
> Ah ! tout est bu, tout est mangé ! Plus rien à dire.
>   (T. I, p. 383).

On colporte ce mot de *Décadent* ; c'est d'abord une raillerie contre
les jeunes « esthètes » de la génération d'après guerre, désabusés
des grands enthousiasmes nationaux et philosophiques, préma-
turément repus de sensations et de réflexions, dégoûtés de vivre
la vie de leur âge et de leur époque. Mais bientôt, ce mot — une
injure, facilement insultante, d'adversaires, comme l'avaient
été d'abord les mots *romantique* et *réaliste* — s'installe dans le
vocabulaire courant, parce qu'il caractérise assez bien les ten-

dances les plus visibles d'une partie de la jeune génération. Les
décadents acceptent bientôt cette étiquette, et s'en font gloire ;
autour des idées que suggèrent les visions et les souvenirs de la
décadence romaine, ils cristallisent une manière de doctrine :

Se dissimuler l'état de décadence où nous sommes arrivés serait le comble
de l'inenséisme.

Religion, mœurs, justice, tout décade, ou plutôt tout subit une transformation inéluctable.

La société se désagrège sous l'action corrosive d'une civilisation déliques-
cente.

L'homme moderne est un blasé.

Affinement d'appétits, de sensations, de goût, de luxe, de jouissances,
névrose, hystérie, hypnotisme, morphinomanie, charlatanisme scientifique,
schopenhauérisme à outrance, tels sont les prodromes de l'évolution sociale.

C'est dans la langue surtout que s'en manifestent les premiers symptômes.

A des besoins nouveaux correspondent des idées nouvelles, subtiles et
nuancées à l'infini. De là, nécessité de créer des vocables inouïs pour exprimer
une telle complexité de sentiments et de sensations physiologiques...

Nous vouons cette feuille aux innovations tuantes, aux audaces stupé-
fiantes, aux incohérences à trente-six atmosphères dans la limite la plus
reculée de leur compatibilité avec ces conventions archaïques étiquetées du
nom de morale publique.

Nous serons les vedettes d'une littérature idéale, les précurseurs du trans-
formisme latent qui affouille les strates superposés du classicisme, du romantisme et du naturalisme ; en un mot, nous serons les mahdis clamant éternel-
lement le dogme élixirisé, le verbe quintessencié du Décadisme triomphant.

(*Le Décadent*, n° 1, 10 avril 1886.)

Cette littérature « idéale » de l'avenir, on n'était pas très pressé
de la voir apparaître à l'horizon ; il y avait tant de choses à sac-
cager pour lui faire de la place.

Nés du surblaséisme d'une civilisation schopenhauéresque, les Décadents
ne sont pas une école littéraire. Leur mission n'est pas de fonder. Ils n'ont
qu'à détruire, à tomber les vieilleries et préparer les éléments fœtusiens de
grande littérature nationale du xx° siècle.

(*Le Décadent*, 10 avril 1886.)

Il y a certes dans ces propos une amusante outrance ; et l'on
n'est pas très disposé aujourd'hui à les prendre au sérieux ; mais
ils traduisent assez bien ce que furent les Décadents, à l'origine. Ils expliquent aussi pourquoi la personne et l'œuvre de Verlaine, dès qu'on les eut découvertes, parurent bonnes à utiliser

dans cette lutte pour « briser tous les liens qui nous rattachent au passé » (*Décadent*, 2 octobre 1886).

Mais il fallut quelque temps pour que cette découverte se réalisât, et pour que les réserves de la première heure fissent place à l'admiration. En 1882, Verlaine publia dans *Paris moderne*, — une jeune revue, très parnassienne de tendances, — quelques-uns des poèmes qui devaient composer, deux ans après, le recueil de *Jadis et Naguère*, et notamment son *Art Poétique* (10 novembre 1882). Il y avait à ce moment-là deux revues de « jeunes », qui allaient jouer un rôle important au début du mouvement symboliste : *Le Chat Noir, organe des intérêts de Montmartre* (premier no : 14 janvier 1882), — humoriste et très fantaisiste, — et la *Nouvelle Rive gauche* (premier no : 9 novembre 1882), — publiée chez Léon Vanier, — socialiste-révolutionnaire, volontiers antipatriote et anarchiste. Le *Chat Noir* ignora alors Verlaine ; la *Nouvelle Rive gauche* l'attaqua. Charles Morice, — le futur panégyriste de Verlaine, — dans un article publié sous le pseudonyme de Karl Mohr et intitulé *Boileau-Verlaine* (no du 18 décembre 1882), vit bien la signification de l'*Art Poétique* :

Cette pièce a ceci de très intéressant qu'elle indique avec assez de précision où en sont les novateurs à outrance, ce qu'ils pensent faire de l'art et quelle est leur audace.

Mais c'était pour blâmer aussitôt cette audace, et pour reprocher au poète sa haine de l'éloquence, du rire et de la rime, pour lui reprocher aussi d'être inintelligible.

Verlaine répondit (no du 15-22 décembre 1882) ; il fit des concessions sur la rime et se montra très déférent pour les anciens ; il donna des éloges à V. Hugo et à Musset.

Mais laissez-moi rêver, ajoutait-il, si ça me plaît, pleurer quand j'en ai envie, chanter lorsque l'idée m'en prend.

Cette modestie du dessein fit-elle plaisir ? Quelqu'un, plus probablement, passa par là ; on lut Verlaine à la *Nouvelle Rive gauche*... Changement de front immédiat ; quinze jours après, on commença à publier de ses vers (no du 5-12 janvier 1883), et on prit vite l'habitude d'en imprimer régulièrement ; — deux mois après l'article hostile de Morice, on écrivait le panégyrique de Verlaine (n° du 9-16 février 1883) :

> Il cherche le nouveau, je ne sais quel art qui serait vaguement des vers, de la peinture, de la musique, ni de la peinture, ni des vers, — quelque chose comme un concert fait avec des couleurs, comme un tableau fait avec des notes, — une confusion voulue des genres, une Dixième Muse.

Même aventure, un peu plus tard, au *Chat Noir*, où Léon Bloy (3 mai 1884) méprisait en Verlaine « un romantique congelé sur le Parnasse du passage Choiseul », et qui bientôt (1885) tiendrait à avoir Verlaine pour collaborateur.

C'est ainsi que commença la fortune de Verlaine parmi des jeunes gens, bien audacieux dès qu'il s'agissait de politique et de philosophie, mais beaucoup plus traditionalistes en littérature qu'ils ne le croyaient eux-mêmes.

La *Nouvelle Rive gauche* se mua, à la fin de mars 1883, en *Lutèce* : Verlaine fut son poète ; on publia un grand nombre de ses vers, ses *Poètes maudits*, ses *Mémoires d'un veuf*... Bientôt il fallut rappeler le rôle essentiel qu'avait joué le journal dans cette résurrection :

> ... P. Verlaine que nous avons été les *premiers* à remettre en lumière après un long et injuste oubli (n° du 19-26 avril 1885).

D'autres cénacles s'ouvraient, en effet, à l'admiration des œuvres de Verlaine. Catulle Mendès, à la fin de sa quatrième conférence sur le Parnasse contemporain (1884), esquissa une brève louange ; mais il ne connaissait que les *Poèmes saturniens* et les *Fêtes Galantes* ; il aimait dans l'œuvre de Verlaine précisément les vers qui, alors, caractérisaient le moins bien le poète. *Lutèce* se plaignit de la brièveté de son propos (n° du 2-9 novembre 1884). Huysmans, au contraire, quelques mois avant, avait fait à Verlaine une part très belle (*A rebours*, 1884) ; son très moderne héros, Des Esseintes, avait découvert les *Romances sans paroles* et *Sagesse*, et il les préférait aux premiers recueils, trop parnassiens ; il disait les singularités de la métrique verlai-

nienne et les nouveautés de ses rythmes, son pouvoir d'exprimer
des « au-delà troublants d'âme, des chuchotements bas de pensée ».
Maurice Barrès, frappant plus fort sur cette note, vit dans l'œuvre
de Verlaine la quintessence du « décadisme », « le dernier degré de
l'énervement dans une race épuisée » (*Les Taches d'encre*, 5 décembre 1884). Paul Bourget, au début de 1885, expliqua le goût
décidé pour Verlaine de beaucoup de jeunes gens par leur passion
récente « pour tout ce qui est suggestion, demi-teinte, recherche
de l'au-delà, clair-obscur d'âme », pour le « sens du mystère ». Les
Déliquescences d'Adoré Floupette (1885), qui eurent un grand succès
au printemps de la même année, déclenchèrent, par un coup de
ricochet, toute une série de manifestations critiques du symbolisme, et consacrèrent cette maîtrise nouvelle du poète de *Sagesse*.
Verlaine y paraissait, sous le nom de Bleucoton, et en compagnie
de Mallarmé, comme un des initiateurs de la poésie de l'avenir ;
on y parodiait le flou de ses vers, ses mélanges singuliers de
crapule et de religiosité. Les tendances de la poésie nouvelle,
telles que venaient de les manifester les vers de Mallarmé, de
Verlaine, de J. Laforgue et de Laurent Tailhade, apparaissaient
dès lors si nettes, tellement bien stylisées en quelques procédés,
qu'on pouvait les parodier de façon très démonstrative. Ce fut
d'ailleurs une excellente réclame pour le symbolisme. Au
milieu de 1885, la réputation de Verlaine commença à quitter
les cénacles.

Tous les prôneurs nouveaux du poète avaient lié sa fortune à
celle des esthètes décadents. Bientôt le *Décadent* de Baju, dont le
premier numéro parut en avril 1886, fit de Verlaine son Dieu. Il
fut très flatté : je suis, écrivait-il avec bonne humeur à L. Vanier
(*Corresp.*, t. II, p. 131), « le plus grand poète du siècle (*Sequentia
sancti Evangelii secundum Bajum*) ». La reconnaissance l'engagea
parfois à se dire décadent lui-même ; il défendit le choix de ce
mot — « un mot de génie » ! — expliqua son sens et son prestige ;
une belle notice sur Baju (t. V, p. 371) présenta au public, de
façon sympathique, les outrances du petit groupe ; il donna au
Décadent une *Ballade pour les Décadents* (t. III, p. 204), dont,
après réflexion, il songea à changer le titre, un peu ironique,

de façon affectueuse, en *Ballade pour nous et nos amis* (*Œuvres posth.*, t. II, p. 289).

Mais il fut bien vite gêné par les compagnies singulières que lui valait parfois sa trop grande bonne volonté : des « petits jeunes gens anarchistes ou embêtants » que son goût de la clarté et la robustesse de certaines de ses convictions lui faisaient juger ridicules ; ses anciens amis l'avertirent d'ailleurs qu'il se compromettait... Sa veine était plus franche, plus saine que celle des « énervés » qui se réclamaient de lui ; il était un triste, certes, et sa sensualité n'ignorait point les complications ; mais il était un vrai mâle, ardent encore dans ses goûts, et il aimait la vie. Il se méfia « des fondrières d'un art décadent » ; il se vit

> Fantôme perdu dans des fantaisies
> Fantasques, hélas ! moins encore que quoi
> Que ce soit qui fût, vacantes, moisies.
> Ah ! c'était du propre et du beau que moi !
>
> (T. III, p. 74.)

Heureusement le « Décadent » ne tarda pas à passer de mode ; le symbolisme se fit jour, et signala de nouveaux goûts, une conception moins simple du but de la poésie moderne. Moréas et Ghil firent bientôt oublier le pauvre Baju, et Verlaine, chef un peu incertain des Décadents, vit fondre la troupe qui l'adjurait de marcher comme son capitaine de bande. Il n'aurait pas tardé probablement à protester véhémentement, comme il savait le faire, contre cet appel à la révolte à la fois et à la veulerie qu'on avait voulu lire dans son *Art Poétique*, et dans quelques-unes de ses belles œuvres de jadis et de naguère. Le drapeau du *Décadisme* était par terre ; il ne le ramassa pas.

II

L'effort des Décadents avait été, au fond, plus philosophique et politique que poétique. Ils avaient précisé les goûts de révolte qui plaisaient dans le monde des jeunes intellectuels; ils avaient fixé un certain nombre de thèmes nouveaux ; mais ils ne s'étaient

guère souciés des moyens d'expression ; le néologisme leur paraissait la grande affaire. Il suffisait d'inventer des « vocables inouïs »
d'écrire quelques énormités selon le rite naturaliste, au mieux de
pasticher Verlaine ou Mallarmé, sans avoir d'ailleurs beaucoup
réfléchi sur leurs intentions secrètes. Les « symbolistes » furent
des théoriciens plus exigeants et plus heureux ; leur définition
du symbole, comme tendance essentielle de la poésie moderne,
s'imposa vite ; elle était la plus compréhensive, elle est la seule
qui ait survécu.

C'est Moréas qui lança, en 1886, le mot nouveau :

> La poésie symbolique, disait-il, cherche : à vêtir l'Idée d'une forme sensible,
> qui, néanmoins, ne serait pas son but à elle-même, mais qui, tout en servant
> à exprimer l'Idée, demeurerait sujette... Le caractère essentiel de l'art symbo-
> lique consiste à ne jamais aller jusqu'à la conception de l'Idée en soi. Ainsi
> dans cet art, les tableaux de la nature, les actions des humains, tous les
> phénomènes concrets ne sauraient se manifester eux-mêmes : ce sont des
> apparences sensibles, destinées à représenter leurs affinités ésotériques avec
> les Idées primordiales.
>
> (*Premières armes du symbolisme*, p. 33.)

Cette définition, très inspirée par l'exemple de Mallarmé, cor-
respondait à un effort obscur de spiritualisme qui dépassait de
beaucoup les plus hautes des ambitions de Verlaine. Il n'était
allé que jusqu'à la Nuance, jusqu'au Rare ; il s'était contenté
d'estomper le réel ; il fallait maintenant l'effacer tout à fait,
pour retrouver, à la place devenue vide, l'Idée qu'il avait seulement servi un moment à exprimer. L'essence même de l'Intelli-
gible, à travers des mots obscurs, peu intelligibles, mais évocateurs, tel était maintenant le but affirmé de la poésie.

Mais, si le but était devenu plus difficile à atteindre, plus lointain, les moyens d'expression des symbolistes pouvaient paraître
les mêmes que ceux qu'avait employés Verlaine : langue, style,
rythme, sur toutes ces questions on pouvait s'entendre ; la différence n'était qu'une question de degré ou de facture.

> Il faut au symbolisme, continuait Moréas, un style archétype et complexe ;
> d'impollués vocables, la période qui s'arcboute alternant avec la période

aux défaillances ondulées, les pléonasmes significatifs, les mystérieuses
ellipses, l'anacoluthe en suspens, trope hardi et multiforme...
     L'ancienne métrique avivée : un désordre savamment ordonné ; la rime
illucescente et martelée comme un bouclier d'or et d'airain, auprès de la rime
aux fluidités absconses ; l'alexandrin à arrêts multiples et mobiles ; l'emploi
de certains nombres impairs.

Ces caractéristiques diverses, quelques-unes contradictoires,
on pouvait les retrouver aisément toutes dans l'œuvre de Verlaine. Aussi Moréas le loua-t-il parmi les maîtres nécessaires ;
mais il lui fit la part assez petite ; il déclara que Baudelaire et
Mallarmé étaient les vrais précurseurs ; Verlaine, il ne le voyait
que comme un métricien heureux :

M. Paul Verlaine brisa en son honneur les cruelles entraves du vers...

Devenu chef d'école, après le succès de ses manifestes, Moréas
chercha tout aussitôt à enrôler Verlaine, et à tirer de ses acquies-
cements aux tentatives nouvelles quelque surplus de gloire. Il y
eut une période de bonne entente, une courte période ; car Moréas
fut bien exigeant, et Verlaine se lassa vite. Oublieux des avances
qu'il avait faites peu avant aux Décadents, très décriés par
le nouveau théoricien, le vieux poète affirma son amitié pour
Moréas et la fraternité de leurs goûts !

> Vous, de tous les chers émeutiers,
> Le seul dont j'aime les ébats,
>
> Dont j'aime et dont j'admire l'heur
> Dans la pensée et dans les mots
> (Les autres, oui, j'admire leur
> Bravoure, mais c'est tout mon los).
>   (T. III, p. 226.)

Verlaine piqua alors, plus nombreux, dans ses vers les mots
médiévaux que Moréas aimait et prônait ; il fit sa phrase plus
flasque, sa syntaxe plus incoordonnée qu'elle ne l'avait jamais été.
Peine perdue. Il fallait pour plaire à Moréas, qui avait les allures
d'un chef et exigeait l'obéissance, pousser jusqu'au vers de dix-sept
pieds ! Verlaine on l'a vu, s'y refusa. Moréas entreprit aussitôt

de le désannexer du symbolisme ; et les cancans des cénacles eurent vite fait d'opposer les deux amis.

> Moréas dit que je suis sans talent.
> . . . .
> Peut-être serais-je trop insolent
> En demandant pour leur plaire, enfin comme
> Il faut s'y prendre, à moins d'être un Prudhomme
> Bien mis, correct et bête, et s'en gonflant.
> (T. III, p. 332.)

Encore une limite que le développement du symbolisme amenait Verlaine à tracer, pour se défendre, pour mieux définir sa vraie originalité. Le symbolisme, tel qu'il se régénérait aux mains des jeunes, — trop intellectuel, trop prétentieux, trop bluffeur, trop obscur aussi, — le dépassait ; il le disait crûment : |

> (Moréas) se fait si ridicule et « charabiate » tant et abrutit de pauvres garçons si tellement.
> (Correspond., t. III, p. 193.)

Mais c'était peu encore. D'autres ébahissements attendaient Verlaine. Il lui faudrait, car toujours il commençait par dire oui aux jeunes poètes qui étaient venus à lui les yeux pleins d'une admiration à la fois sincère et intéressée, il lui faudrait bientôt esquisser de nouveaux gestes de refus et d'incompréhension. Après Moréas, un autre de ses jeunes amis décida de devenir chef d'école. A vingt-quatre ans, en 1886, R. Ghil fonda l'école symbolique et harmoniste ; bientôt il abandonna le mot même de symbolisme ; et son école devint l'école évolutive instrumentiste· Le Scapin, La Décadence, La Basoche (1886), les Écrits pour l'art (1887) cherchèrent à expliquer et à vulgariser une théorie de « l'instrumentation verbale », qui pouvait bien, pour commencer, se réclamer, elle aussi, de Verlaine, mais que compliquèrent singulièrement les remaniements successifs du Traité du Verbe (1886 à 1904). Cette doctrine n'était que le plein développement des idées de Rimbaud, dont Verlaine avait subi l'influence autre-fois ; il s'agissait de dépouiller à peu près complètement les mots de leur puissance d'exprimer les idées ; ils étaient, avant tout, des notes sonores, la traduction de sensations auditives auxquelles correspondent des sensations colorées ; en émettant un son on produit une image correspondante de couleur ; les sons et les couleurs unies constituent un large clavier sur lequel le poète peut et doit jouer, étendant infiniment ainsi les possibilités de la suggestion poétique. R. Ghil facilitait cet effort en groupant sur des tableaux, que lui-même il modifia gravement par la suite, les correspondances essentielles des divers ordres de sensations.

Plus que Moréas, Ghil était autoritaire, il entendait la chefferie d'école comme une direction administrative puissante et minutieuse. Verlaine reçut de lui une maigre louange pour les « quelques gentilles choses musicales » qu'il avait écrites ; mais il se vit classer aussitôt parmi les « vieux », ceux qui avaient donné tout leur effort, et sur lesquels on ne pouvait point compter pour l'avancement de la poésie moderne. Il se fâcha pour de bon de ces prétentions à régenter la poésie ; il déclara tout net qu'il ne comprenait point. Les controverses de Ghil et de Moréas lui parurent ridicules et sans issue :

> Moréas et Ghil
> Ghil et Moréas.
> Qui va vaincre ? hélas !
>
> J'en ai comme un sourd
> De pressentiment :
> C'ira tristement.
>   (T. III, p. 329.)

Il dit son fait à Ghil :

> Ghil est un imbécile, Moréas
> N'en est foutre pas un, lui, mais hélas !
> Il tourne, ainsi que ce Ghil, chef d'école
> Et cela fait que de lui l'on rigole.
>
> Chef d'école au lieu d'être tout de go
> Poète vrai comme le père Hugo,
> Comme Musset et comme Baudelaire,
> Chef d'école, au lieu d'aimer et de plaire.
>
> Toujours parler et jamais chanter,
> Grammairien sans cesse à disserter

En place d'un esprit, d'un cœur, d'une âme !
La glace du pédant, non plus la flamme
Libre et joyeuse et folle par des fois
D'un pur génie, ensemble glaive et voix !
Ghil ? Un comble, un comble et cela complète
Son cas.......

                              (T. III, p. 330.)

Ce sont là évidemment de ces aménités qu'échangent volontiers les gens de lettres, quand la controverse d'une querelle au
grand jour des journaux a exaspéré leurs amours-propres. Mais
elles traduisent bien le sentiment de Verlaine devant ce goût de
légiférer qui avait saisi les plus notables des jeunes poètes symbolistes, et devant les exagérations auxquelles les entraînait bien
vite la volonté de systématiser en des théories les tendances du
jour et leurs propres préférences. Verlaine était très peu « gende-
lettre » ; la plupart des symbolistes l'étaient furieusement. La
littérature c'était d'abord pour eux de la stratégie littéraire, des
campagnes, des manifestes, des attaques, des contre-attaques ;
il fallait éreinter les vieux maîtres, jeter au panier tout Victor
Hugo, tout le Parnasse ; bientôt, évidemment, ce serait aussi le
tour d'autres, plus récents... On s'aperçut vite que Verlaine se
retirait à l'écart ; et comme l'habitude du jour était de souligner
les attitudes littéraires en publiant un manifeste ou en fondant
une école, on invita Verlaine à rédiger un « exposé de principes » ;
pourquoi n'y aurait-il pas eu un manifeste du « verlainisme » ?
A tout le moins on aurait pu en prendre occasion pour écrire quelques articles désagréables à ceux dont cet exposé eût contrarié
les vues. Mais Verlaine était bien décidé à ne point prendre part à
la lutte ; il préférait même quitter les positions où il s'était porté
autrefois et d'où les jeunes étaient repartis, plus en avant. Il
renia son *Art Poétique*, par morceaux et en bloc.

J'ai véritablement longtemps réfléchi, écrivait-il en 1887, à la demande de
Griffin d'un « exposé de principes » concernant l'art des vers, etc. Je n'ai pu
tirer de ma conscience que cette conclusion : Tout est bel et bon qui est bel
et bon, d'où qu'il vienne et par quelque procédé qu'il soit obtenu. Classiques,
romantiques, décadents, symbolos, assonnants ou comment dirai-je ? obscurs
exprès, pourvu qu'ils me foutent le frisson ou simplement me charment,
même et peut-être surtout sans que, comme le Dindon de Florian, je sache
bien pour quelle cause, font tous mon compte. Allez, poètes que nous sommes,

aimons-nous les uns les autres, cette maxime n'est pas plus bête en art qu'en morale et je crois qu'il faut s'y tenir. Telle est ma théorie mûrement délibérée. (Lettre à H. de Régnier (août 1887), citée par Donos, *Verlaine intime*, p. 158.)

Il y avait là de quoi mettre « tous ces éphèbes d'accord, symbolos et décadards » (*Corresp.*, t. II, p. 85), et Verlaine répétait volontiers cette formule : « Tout est bel et bon... », qui était une condamnation de toutes les théories et de toutes les écoles. Lui rappelait-on certaines déclarations de son *Art Poétique* sur le charme de l'Imprécis, il enseignait le prestige de la netteté et il renversait ses anciennes formules.

De même que nous parlons clair, que nous avons l'esprit vif, incisif, mais pondéré, pas contemplatif, de même écrivons preste quand faut, solide, lourd quand faut, mais clair et net avant tout. Le « reste est musique », que veux-tu *homo duplex*, P. V. ; j'admets et j'adore, en certains cas, certain, *certain*, vague de « l'indécis » (mais dans indécis, il y a décis, qui vient de *décision*), mais qui « au précis se joint » en tout cas, et je pense que la clarté et que la force du style sont « idoines » à toute saine littérature, à l'allemande comme à l'espagnole, à l'anglaise comme à l'italienne, mais à pas une comme la française. Et nous sommes Français, nom de ...outre !
(Lettre à Cazals (août 1889), dans Aressy, *La dernière bohème*, p. 86.)

Alors on le laissa tranquille, bien tranquille dans sa gloire, dont on n'avait plus guère besoin. Les cénacles symbolistes se sentaient assez forts devant l'opinion pour ne plus désirer cet acquiescement des maîtres qui avait été une précaution utile dans les mois de début.

Un nouveau craquement menaça bientôt de ruiner l'entente symboliste. Il était grave, puisque c'était Moréas lui-même qui provoquait la nouvelle scission, et que ses idées, une fois de plus transformées, devaient rapidement le conduire à répudier le but et les procédés du symbolisme ; il allait devenir plus classique que ne l'avait été Verlaine, plus traditionaliste que ne l'avaient jamais été les parnassiens et les romantiques. Plus de pessimisme, plus d'interprétations symboliques de la réalité, plus de mots voulus vagues pour ces symboles, plus d'audaces trop grandes dans le vers..., — toutes ces hérésies, entre autres, furent proclamées par la nouvelle « école romane », lancée en 1891, avec le bruit con-

venable à cette sorte de manifestations. Verlaine, très à l'écart,
salua et approuva ironiquement :

> En ce siècle, qui prend la fuite,
> Nous possédions, déjà, très las
> Mais obstinés dans la poursuite
> D'un mieux pas toujours bien, hélas !
> Des escholiers pour le soulas
> De cette folle monomane,
> Notre littérature en bloc :
> Mais tout cela c'était en toc :
> Salut à l'École romane.
>
> . . . .
>
> A bas le symbolisme, mythe
> Et termite, et encore à bas
> Ce décadisme parasite
> Dont tels rimeurs ne voudraient pas !
> A bas tous faiseurs d'embarras !
> Amis, partons en caravane,
> Combattons de taille et d'estoc !
> Que le sang coule comm' d'un broc
> Pour la sainte École romane !

> (T. III, p. 326.)

Vraiment il se sentait tout à fait isolé, bien en dehors de ces
querelles où s'exaspéraient des vanités qu'il ne comprenait pas,
où se débattaient des idées qui ne l'intéressaient pas.

III

En cette même année 1891, une occasion unique s'offrit à tous
les poètes, vieux tenants du Parnasse, anciens et jeunes symbolistes, de dire leur avis sur les destinées de la poésie moderne, et
de se bien définir, chacun au point où il était alors parvenu. Un
journaliste, J. Huret, eut l'idée souvent reprise depuis, mais
jamais aussi heureusement, semble-t-il, d'aller interviewer les
gens de lettres, et de leur demander leur sentiment sur les batailles
littéraires du jour. Quelle était leur école ? Étaient-ils dégoûtés
du naturalisme ? Lassés du Parnasse ? Qui reconnaissaient-ils
pour maîtres ou pour chef ?

La réponse de Verlaine nous intéresse tout particulièrement. Huret trouva le poète « à son café habituel, le *François premier*, boulevard Saint-Michel » ; Verlaine, fatigué, agacé, incurieux, s'échauffa dès qu'on lui parla du symbolisme.

> Le symbolisme ?... Comprends pas... Ça doit être un mot allemand, hein ? Qu'est-ce que ça peut bien vouloir dire ? Moi, d'ailleurs je m'en fiche, Quand je souffre, quand je jouis ou quand je pleure, je sais bien que ça n'est pas du symbole. Voyez-vous, toutes ces distinctions-là, c'est de l'allemandisme.

Il chercha à se définir, mais ce fut sans le moindre souci des préoccupations littéraires du jour : un certain goût de la tristesse, la passion d'être sincère, la recherche de quelques effets musicaux ; il s'affirma de pure tradition française, — d'une tradition antérieure à celle du Parnasse, voilà tout : il ne songeait pas à se dire « moderne » ; il désavouait la « paternité » des « jeunes » ; ses « élèves » il ne les reconnaissait que comme des « élèves révoltés » ; le mot même de *décadent* qu'il avait si fièrement pris comme cocarde pendant des mois, il affirmait qu'il « ne voulait rien dire du tout ». Toutes les rétractations à la fois !

Cette attitude n'était pas simplement de mauvaise humeur. Si Verlaine s'appliquait à paraître bien étranger au milieu symboliste, quelques-uns des jeunes que Huret interviewa dans le même temps, l'en écartaient avec plus ou moins de ménagement. On réduisit son originalité qui avait paru bien grande, six ans auparavant ; il avait appris quelques petites audaces utiles au vers français ; mais il n'avait pas de programme... Pas de programme, en 1890, alors que c'était une des premières conditions requises d'un poète qui voulait se faire un peu connaître ! Mallarmé le loua grandement, mais c'était pour la singularité de sa vie, pour la valeur symbolique de sa destinée, toute révoltée contre les lois et les mœurs communes. Moréas le renvoya dédaigneusement au passé : « un Parnassien quand même », un baudelairien impénitent ; il n'avait point d'influence sur le mouvement actuel, ou, s'il en avait, elle était mauvaise et devait être combattue ; « son action répercutée serait désormais désastreuse ». Il n'était pas un initiateur ; bien au contraire, il finissait une série :

« Il clôt, en lui donnant un lustre qu'elle ne méritait pas, une
tendance poétique défunte. » Les mots de ce jugement sont les
plus durs qui aient été prononcés alors sur Verlaine ; mais ils
disent bien ce que pensaient tous ceux des poètes qui se croyaient
quelque autorité pour parler des tendances de la génération
présente : l'heure du poète des *Romances sans paroles* et de
Sagesse était passée.

Trois ans après, en 1894 à la mort de Leconte de Lisle, il fut
élu *prince des poètes* ; mais cette dignité incertaine et d'attribution
assez fantaisiste est généralement, — elle était alors du moins un
hommage à quelque ancien pour lequel on gardait de la vénéra-
tion, un hommage de la génération actuelle à celle qui l'avait précédée, en réalité un vote tacite pour désigner une sorte de doyen
d'âge, président d'honneur de la confrérie. Sur près de quatre cents
opinions exprimées (1) (*La Plume*, 15 octobre 1894), Verlaine se
vit préférer par soixante-dix-sept suffrages ; après lui venaient
Heredia (trente-huit) et Mallarmé (trente-six) ; et si l'on s'amuse
à totaliser les voix obtenues par les purs Parnassiens : Heredia,
Sully-Prudhomme, Coppée, Dierx, Mendès, on doit constater une
grosse majorité dans la préférence : cent vingt-cinq voix. Les
symbolistes réunis : Mallarmé, H. de Régnier, Samain, Viélé-
Griffin, Moréas n'obtenaient guère qu'une soixantaine de voix.
Bien des votes qui s'étaient portés sur le nom de Verlaine étaient
dus d'ailleurs à ses recueils parnassiens. Au total, ce « Congrès
des poètes » se montrait plus attaché à la tradition poétique qu'on
ne serait porté à le croire d'abord. La majorité dont on se contenta
pour attribuer à Verlaine le laurier était toute relative... Mais il
ne faut pas sans doute attacher trop d'importance à cet aimable
pastiche des élections populaires, qui avait été surtout imaginé
dans des intentions de curiosité et de gentillesse.

Une autre enquête et un autre referendum furent organisés,
deux ans après, au lendemain de la mort de Verlaine (*La Plume*,
nº de février 1896). Les conclusions en sont semblables ; il s'agis-

_____

(1) En réalité, 189 écrivains prirent part au vote ; mais la plupart dési-
gnèrent plus d'un nom.

sait de dire quel avait été le rôle de Verlaine dans « l'évolution littéraire », et, en même temps, quelles étaient les meilleures parties de son œuvre. C'est *Sagesse* à cause de la note catholique, et les *Fêtes galantes*, si parnassiennes, qui furent reconnues alors comme les préférées. La plupart des jugements sympathiques se résument en ces mots très simples qu'écrivit Rachilde : « Il ouvrit la fenêtre ». Mais bien des réserves furent exprimées ; les uns rognèrent toute la dernière partie de l'œuvre ; d'autres firent peu de cas des recueils où s'affirmait le mieux le goût du nouveau. Il fut évident aussi que sa légende avait subi déjà un vrai déchet ; on ne concevait plus, obligatoirement, « le poète » avec la figure de Verlaine. Quelques-uns furent sévères, parce qu'ils étaient lassés des outrances symbolistes ; Ch. Maurras, interprète de l'École romane et du néo-classicisme naissant, écrivit une page fort curieuse, dont certaines parties sont un véritable éreintement.

> Paul Verlaine laisse un grand nom ; mais je ne sais s'il laisse une œuvre... Il faut garder de Verlaine quelques vers isolés qui sont admirables... Les Romantiques réclamaient la liberté de l'art ; il l'a pratiquée, lui, et d'un zèle sauvage et fou. Il a perdu la langue, abîmé le style, et réduit à rien la pensée. D'un si profond degré d'humiliation, tout esprit généreux n'a pu que rebondir vers la lumière, l'ordre, la force, la grâce virile et les autres disciplines de la beauté.

Le Congrès des Poètes, à une infime majorité, désigna Mallarmé comme prince des poètes ; en seconde ligne, par très peu de voix, Moréas. Depuis trente ans, il semble que ces choix, le premier surtout, n'aient fait que s'assurer. La gloire de Verlaine n'a pas été diminuée, mais elle a été entretenue surtout par des œuvres à caractère anecdotique ; sa légende se continue et s'enrichit ; mais il ne paraît pas que son prestige littéraire grandisse beaucoup. Une des plus récentes enquêtes sur les tendances littéraires du jour (Barillon et Rambaud, *Enquête sur les maîtres de a jeune littérature*, 1923) fait paraître deux ou trois fois seulement le nom de Verlaine, et en des mentions très modestes ; partout, au contraire, reviennent les images de Mallarmé et de Rimbaud, l'aveu qu'ils furent des animateurs efficaces. Il est trop tôt certes pour *fixer* le point autour duquel n'oscillera plus que légèrement, dans

l'avenir, la gloire de Verlaine ; il faut encore quelques années
pour que son œuvre puisse être embaumée, avec un visage aux
traits éternels, dans nos histoires littéraires. Mais la considération de ce que fut sa renommée, entre 1885 et 1900, dans les
quinze années où l'on s'enthousiasma pour le symbolisme et où
l'on se lassa de lui, est déjà bien significative. Après avoir cru,
pour des raisons plutôt extérieures qu'intimes, qu'il était l'âme
même de la poésie moderne, on s'aperçut vite qu'il appartenait
à une autre génération, et qu'il avait d'autres soucis que ceux
du jour ; les symbolistes l'écartèrent ; il désavoua les symbolistes.
Bien que ces disputes, sur des mots qui sont des étiquettes fort
imparfaites, n'aient pas toujours un sens très net, il y a là une
indication essentielle qu'on ne peut négliger ; elle invite à limiter
plus étroitement qu'on ne le fait souvent l'influence de Verlaine
à l'époque symboliste.

TABLE DES MATIÈRES

Poitiers. — Société Française d'Imprimerie.